辻田真佐憲
西田亮介

ゲンロン叢書｜008

新プロパガンダ論

MASANORI TSUJITA
RYOSUKE NISHIDA

genron

ゲンロン叢書｜008

辻田真佐憲　西田亮介

新プロパガンダ論

genron

凡例

・対談内で言及される政治家の役職や、「今回のプロジェクト」「この選挙」などの表現は、原則として対談収録時のままとした。対談収録日は目次および各章の扉に記している。

・旧字体は、一部の人名を除き新字体にあらためた。

・注は編集部が作成した。

まえがき

本書は、現代日本のプロパガンダ（政治広報、情報戦略）をめぐる、社会学者の西田亮介と、わたし辻田真佐憲の対談本である。ベースとなった議論は、二〇一八年四月から二〇二〇年九月にかけて、東京・五反田のゲンロンカフェで五回にわたって行われた。今回、書籍化するにあたり、大幅な加筆修正を行っている。

振り返れば、この期間は、プロパガンダについて議論する絶好の機会だった。ツイッター、ユーチューブ、ライン、インスタグラム、ティックトックなどの新しいメディアが政治的に幅広く利用された時期にあたったからだけではない。新天皇の即位、あいちトリエンナーレの騒動、コロナ禍の発生、そして第二次安倍晋三政権の終焉など、歴史的に重要な瞬間にも重なったからである。

そのため、政治とメディアの関係や、安倍首相（当時）を侍姿に描き女性誌とのコラボでも注目された「#自民党2019」の是非などにとどまらず、東京オリンピック・パラリンピックの延期、自粛警察の跳梁跋扈などにも話題が広がり、いつも話の種が尽きなかった。

また最終章では、アプリゲームの「あべぴょん」や、安倍首相のラインスタンプ「思ったより使える♪総裁スタンプ」の配信をはじめ、第二次安倍政権全体のプロパガンダを総括し、菅義偉新政権へ展望を示すこともできた。

最初に念のため確認しておくと、プロパガンダという言葉をめぐって、対談者ふたりの立場は微妙に異なっている。

筆者（辻田）は、現代日本の政治広報にもプロパガンダという言葉を積極的に使うべきという立場を取っている。そうすることで、戦前日本、ナチス・ドイツ、ソ連、北朝鮮、中国など、古今東西の現象と比較検討しやすくなり、今日への教訓も引き出しやすくなると考えるからだ。

反対に西田は、現代日本の政治広報にはプロパガンダという言葉を積極的に使うべきでないという立場を取っている。そうしないと、この言葉がもつ強烈なマイナスイメージにより、議論が特定の政治色をまとってしまい、多様なひとたちに届かなくなる（筆者なりに言い換えれば、「また左翼の決まりきった、古臭い議論」と倦厭されてしまう）と懸念するからだ。

もっとも本書において、この両者の差異はかならずしも大きくない。なぜならば、本書の議論でもっとも重要なのは、現代日本の現象をできるだけ自由に語り、柔軟に捉えることにあるからである。歴史との比較をしたければプロパガンダと呼べばいいいし、現在への適応を考えれば呼ばなくてもいい。主眼はその言葉の有無ではなく、縦横無尽な語り口、考え方にこそある。ぜひ読者にも、こだわりなく読み進め、考えるヒントにしてもらえればと思う。

現に、ここで対象とされる社会現象の範囲はたいへん広い。自民党の情報戦略も含まれるが、野党のそれも含まれる。帝国日本のプロパガンダも含まれるが、世界のそれも含まれる。その点で本書は、自民党の政治広報ばかりをプロパガンダと難ずるリベラル系の本とも、中国や韓国の政治広報ばかりをプロパガンダと難ずる保守系の本とも、明確に異なっている。

もとより、イデオロギーから完全に解き放たれているなどと無邪気に主張するつもりはない。本書にも偏りはあるだろう。ただ、少なくとも、昨今ネットを中心にみられるような、単純な「左右対立」図式からは距離を保っている。だからこそ本書は、第二次安倍政権下の社会現象を中心に扱いながらも、菅政権以降のできごとにも応用できる、普遍性を有したものだと自負できるのである。

詳しくは本文と巻末の付録を参照していただきたいが、筆者なりに少し補足すれば、今後このような独自のポジショニングはますます重要になってくるだろう。

第二次安倍政権は、さまざまな不祥事に塗れながらも、けっして倒れなかった。どんなに支持率を下げようと、安全保障上の危機（北朝鮮のミサイル・核開発など）に対処したり、国政選挙で勝利を収めたりすることで、毎回みごとに盛り返した。そして最後は、異例の高支持率とともに花道を飾り、鮮やかに〝勝ち逃げ〟した。

「反アベ」を掲げるリベラル勢は、帝国日本の敗戦には雄弁だけれども、この、みずからの〝敗戦〟にはあまりにも無頓着すぎる。それどころか、またぞろ「反アベ」を「反スガ」に切り替えて、「#スガやめろ」のハッシュタグ運動に熱を上げている。それをやめろと言うつもりはないが、現在のところ、安全保障をめぐる厳しい環境も、野党をめぐる四分五裂の状態も、安倍政権下とほとんど変わっていない。このままでは、菅政権もやはり長期化しかねないし、仮に失策を重ねて倒れたとしても、あとを襲う政権は手強い存在として立ちはだかるだろう。

本文でも明らかなように、筆者は安倍政権にも菅政権にも批判的である。だからこそ、現状を固定しかねない「反アベ」「反スガ」の動きに和するより、別の立ち位置を大切にしたいと考えている。そのことには、この対談を通じてますます自覚的になった。その点で、西田には大いに感謝したいと思っている。

それはさておき、本書が「新」と冠する理由はこのような独自のポジショニングだけではない。プロパガンダの効果に概して冷淡なのも、われわれの議論の特徴だろう。

プロパガンダと名のつく本はおしなべて、プロパガンダにたいする警戒心が驚くくらい強い。多くの場合、プロパガンダは危険だ、洗脳される、社会を滅ぼすと煽り立ててくる。だが、本書の内容はけっしてそうではない。

実のところ、プロパガンダの効果は正確に測りがたい。それどころか今日では、プロパガンダが弾丸のように対象者の心を撃ち抜くという仮説（いわゆる弾丸理論）はほとんど否定されてしまっている。

もちろん、人間をモルモットのようにしては実験できない以上、その効果がまったくないと断定することもできない。つまり、プロパガンダは効果がないかもしれないが、あるかもしれない。であれば、万が一効果があったときのリスクに備えて、事前に対策を打っておくのがよいのではないか。それは、古今東西のさまざまな事例を知っておくことで、目の前にプロパガンダがあらわれたときに感情的にならず対応できるようにする、ワクチンとしての役割である。本書が目指すところはこれにほかならない。

わかりやすくプロパガンダの危険性について警鐘を乱打してほしいと望む立場のひとびとには、いささか不満かもしれない。だが長い目でみれば、このような構えこそ、たとえ冷笑主義やどっちもどっち論と揶揄されようとも、多くのひとびとに届くものだと筆者たちは考えている。

それにしても、なぜ本書の議論はお決まりの結論に陥らず、かくも縦横無尽でありえたのか。われわれが、怒りを動力源に政治を語らなかったことは大きいだろう。ただそれに加えて、総合知の重要性を深く認識していたのも無視できないのではないか。最後にこれについて私見を披瀝し、このまえがきを閉じたい。

昨今、デマやフェイクニュースが猖獗を極めているため、ファクトを示してくれる専門知の重要性がしきりに訴えられている。言うまでもなく、専門知は大切だ。それは論をまたないが、果たしてそれだけで十分なのだろうか。これだけファクトチェックが盛んであるにもかかわらず、デマやフェイクニュースがなくならない現実を前に、そのような疑問が湧いてくる。

そこで思い当たるのが、われわれの避けようもない運命だ。せいぜい一〇〇年ほどしか生きられない人間には、能力や時間の面でおのずと限界がある。にもかかわらず、選挙の投票などを考えればわかるように、そのなかで世界や社会について考え、ときに判断し行動しなければならない。そのとき頼りになるのは、厳密ながら細分化された専門知というよりも、むしろ評論家が提供するような、ざっくりした社会の見取り図ではないだろうか。総合知というのは、これのことである。

この総合知は、今日あまり評判がよくない。一部の専門家は「素人語りをやめろ」と叫び、本来名誉あるべき「知の巨人」という称号はむしろ評論家を愚弄する言葉にさえなっている。デタラメな議論が横行しているのでやむをえない面はあるとはいえ、人間があらゆる分野について専門的に詳しくなれない以上、ざっくりした社会の見取り図をまったくなしで済ませることはできない。われわれは、総合知を求めてしまうし、語ってしまう存在なのである。

それは、「素人語りをやめろ」と批判する専門家が、みずからの専門としない日本の言論界にも言及することで、えてして「素人語り」に陥ってしまう（つまり「素人語りをやめろ」という批判自体が「素人語り」になってしまう）ことからも明らかだろう。

であるならば、いま必要なのは、専門知を崇拝して総合知を排除することではなく、専門知も参照しながら、曖昧にならざるをえない総合知を絶え間なくバージョンアップしていくことではないか。かつてそれは、大量に存在していた総合雑誌などの座談会で、専門家と評論家がお互いを信頼し尊敬しながら、自由闊達に言葉を交わすことで実現されていた。本書は、その再興の試みのひとつである。少なくとも、筆者はそのように考えているし、だからこそ型通りでない議論が展開できたのだと確信している。

反対に、このような試みを怠り、たとえば専門家が細かい間違いをあげつらい、総合知を破壊することに終始すれば、聞く耳をもっている〝まともな〟評論家が沈黙し、逆にいかなる批判もものともせず、「歴史学者は全員左翼だ」と叫ぶような、〝まともでない〟評論家が台頭する結果を招くだろう。そしてそれは、総合知を求める市民社会とのつながりを、いわば詐欺師のようなものたちに乗っ取られることを意味する。残念ながら、現代日本ではこのような状態が着実に進行しつつある。

菅政権の劈頭に起こった日本学術会議の任命拒否問題は、このことと密接に関わっているように思えてならない。今回、市民社会はかならずしもアカデミズムの擁護に回らなかった。

ウェブの反対署名は九日間で一五万筆に達せず（大学の本務者だけで一九万人もいるにもかかわらず）、各種の世論調査も菅首相の説明不足を指摘しながらも、日本学術会議のあり方見直しについてはけっして否定的ではなかった。少なくとも、本稿執筆時点ではそうなっている。

総合知と結びつかず、研究機関に閉じこもる専門知は、市民社会から遊離し、このような非常時にあってたいへん脆い。それは、専門知からの好意的な協力や助言を失った、総合知についても言える。専門家と評論家の協働は、双方にとってもプラスなのである。

誤解のないように言っておくが、当然ながら、世の中には一〇〇パーセントの専門家も、一〇〇パーセントの評論家もいない。筆者は大学などの研究機関に所属せず、社会問題などにかんする文章を書いて生活しているので、評論家的な要素が強い。とはいえ、これまで研究してきた音楽史などの分野で専門家としての要素がないわけではない。いっぽうで、西田はもちろん社会学の専門家だが、けっしてその範囲にとどまらず、幅広くさまざまな問題にコメントしているという点では、評論家的な要素ももっていると言えるだろう。

このように、ひとりの人間のなかに、専門家と評論家の要素がそれぞれ存在する。以上の議論はその融和の提案でもある。したがって、どちらとも自認していない読者にとっても、本書の内容は役に立つはずだ。自由に読み進め、考えてほしいというさきの主張は、総合知を鍛えてほしいと言い換えてもよい。というのも、それこそ、いままで以上にあらゆるメディアを動員し、白黒を峻別し、感情を刺激し、ひとびとを行動に駆り立ててくるであろう、来たるべきプロパガンダにたいする最良のワクチンとなると、筆者が信じてやまないからである。

二〇二〇年一一月一九日、新型コロナウイルスの感染者数が激増しつつある東京で

辻田真佐憲

1

プロパガンダとはなにか

2018年4月11日

プロパガンダとはなにか

西田　日本の政治とメディアをめぐって、辻田真佐憲さんとお話ししていきます。テーマは「プロパガンダ」です。ぼくも辻田さんも、日本政治を扱う仕事をしています。しかし一口に政治と言っても、ぼくは現代が、辻田さんは戦前戦中が得意分野です。まずは両者のギャップを確認し、それからそのあいだを埋めていく対話ができたらと思います。

辻田　わたしからは戦前の日本で行われたプロパガンダの事例を紹介していきます。一般的にプロパガンダというと、軍歌でもなんでも、退屈なものを政府に無理矢理押し付けられるイメージがあるのではないでしょうか。しかし実態はそうではありません。むしろ知らずしらずのうちに人々に思想を浸透させていくのがプロパガンダの王道です。そのためにいろいろな手法が開発されてきました。当時の手法を知ると、いまの政府がプロパガンダを仕掛けてきたときにも、それを相対化することができるはずです。過去の事例をワクチンにして免疫力を高めることができるわけです。

西田　ワクチンというのは言い得て妙ですね。ぼくが研究している現代の政党広報も、読み解き方を知れば、送り手の意図がだんだんと理解できるようになります。そうすれば自然と予防線を張れる。これからの対話が、プロパガンダ的なものへの免疫力を高める機会になるといいと思います。

辻田　最初に、プロパガンダという言葉をわたしなりに定義しておきます。「プロパガンダとは、政治的な意図にもとづき、相手の思考や行動に、しばしば相手の意向を尊重せずに影響を与えようとする、組織的な宣伝活動である」。これがわたしのプロパガンダの定義です。重要なのは、「政治的」と「組織的」という部分です。政治的とは、企業のＣＭのように経済的なプロモーションではない、ということです。そして組織的とは、インディペンデントなアーティストが、自分の思想信条を訴えることとは異なるという意味です。

西田　オーソドックスで、いい定義だと思います。現代の情報戦略とのちがいもわかりやすいです。現代の政党広報は、もちろん政治的な意図で行われてはいるものの、マーケットと不可分です。言い換えると、存在（感）を強調することが重要視され、内容が軽視されがちです。思想信条が軽視されているとも言えます。ぼくの『メディアと自民党』（二〇一五年）でも書いたとおり、ネット選挙が解禁された二〇一三年に自民党の情報戦略を担当したトゥルース・チーム（T2）は、実態として関係者の経済的な意図で動いていました[★1]。このプロジェクトはもともと電通が提案したと言われます。電通の役員級のひとたちが、ネットを活かした選挙運動でオバマ大統領が再選した二〇一二年のアメリカ大統領選挙を見て、日本でもデータを使った選挙が主流になると考えたようです。関係企業は、「無償で最大限のサービスを提供した」という評判です。どういうことかというと、このプロジェクトで電通や自民党に貸しをつくり、将来的に大きな仕事を回してもらおうという、経済的な意図があったみたいですね。でもその思惑はうまく行かなかった。

辻田　現代において情報戦略が展開していくときには、政治的な力学よりもむしろ、ビジネス上の理屈がある、と。ピラミッド型の命令系統があったわけではなく、各業者の忖度というかたちでプロジェクトが進んでいった点も興味深いです。さきほどの定義は、「これ買って！」という企業の純粋な販促は除くという意味で、このような現象はもちろん、戦前戦中にも見られました。詳しくはこのあと具体例を通じて見ていきましょう。

ちなみに「プロパガンダ」の語源は、動植物を繁殖させるという意味のラ

★1　トゥルース・チーム（T2）は自民党が国内IT企業、広告代理店などの協力のもと発足させたネット選挙分析チーム。ソーシャルリスニング（ネット世論の収集・分析）を第一の目的とし、分析結果をとりまとめて候補者に配信したほか、ネット炎上の監視、対策も行なった。西田はT2の活動を分析し、その特徴として「内製化」「戦略性」「『忖度の連鎖』による自民党へのメディア企業等の一極集中の構図」を挙げている。『メディアと自民党』、角川新書、二〇一五年、一六一－一七五頁。

テン語「プロパーゴー propāgō」にあります。そこから転じて、カトリック教会の布教活動を意味する言葉として広がりました。つまり、フランシスコ・ザビエルは日本にプロパガンダに来ていた。現在のように、政治的な情報宣伝というニュアンスで広く使われるようになったのは、第一次世界大戦のときです。

西田　第一次世界大戦は世界史上はじめて行われた総力戦です。それまでの戦争は専制君主同士が領土をめぐって争う限定的なものでした。しかし第一次世界大戦は互いの資源をすべて動員した。この時期にプロパガンダが盛んになったのは、国民の自発的な参加を促すためですね。

辻田　戦前戦中の日本では、プロパガンダのことをおもに「思想戦」と呼んでいました。思想戦の必要性が真剣に言われるようになったのは、ご指摘のように、第一次世界大戦のあとのことです。日本にとって近代化のモデルであったドイツが、前線では勝っていたにもかかわらず、国内で革命が起きたために敗北してしまった。実際はそう単純ではなかったのですが、当時はそのように理解されました。ロシアの場合も大同小異です。これは日本の軍人たちにとって、なにより衝撃でした。彼らはその結果を受けて、戦争の勝敗は前線だけで決まるのではなく、後方のプロパガンダ戦によっても決まると考えたのです。

その分析から、国民に革命を起こさせるのではなく、逆に戦意を高揚させるにはどうすればいいかが検討されるようになります。とりわけ思想戦研究に熱心だったのは陸軍です。日本の陸軍は徴兵制に兵力を依存していたため、たとえば国民のあいだに共産主義思想が広がれば、すぐ影響を受けてしまいます。その歯止めをかけるためにも、陸軍は思想戦に意欲的だったのです。

エノケンもゆずも便乗した

辻田　実際に日本の陸軍がどのように思想戦を考えていたのかを見ていきましょう。大本営陸軍報道部員の清水盛明中佐は、日中戦争（支那事変）開戦の翌年にあたる一九三八年の講演で「由来宣伝は強制的ではいけないのでありまして、楽しみながら不知《しらず》不識《しらず》の裡に自然に環境の中に浸つて啓発教化されて行くといふことにならなければいけない」と語っています［★2］。
西田　含蓄ある言葉ですね（笑）。
辻田　彼はプロパガンダに使える具体的な手法も列挙しています。座談会や講演会、インタビュー、デモンストレーション、カタログ、プログラム、ス

★2　清水盛明「戦争と宣伝」、『思想戦講習会講義速記　第二集』、内閣情報部、一九三八年、六四頁。なお「環境」は誤植と思われ、清水盛明『戦ひはどうなるか』（実業之日本社、一九三九年）に一部修正のうえ再録されたときは「感興」となっている。

タンプ、切手、マネキン、ちんどん屋、観光案内、アドバルーン……　ありとあらゆるものが宣伝に使えると説明しています。これまでの思想戦研究の成果を踏まえると、上から押し付けても人々は言うことを聞かない。だからありとあらゆるエンターテインメントを利用するべきだと言っているわけです。こうして、退屈なビラや講演だけではなく、映画や大衆音楽を利用した宣伝が考案されていきます。

西田　具体的にはどのようなアプローチがあったのですか。

辻田　清水は当時の有名なコメディアンであった古川ロッパを活用した事例を紹介し［★3］、つぎのように述べています。「事変勃発と共に当部では古川氏と相談致しまして時局宣伝を加味して貰ふこととなり、二時間ばかりの喜劇の中に五分ばかり支那事変の解説をやつたのでありますが、民衆は笑ひながら見て居る間に不知不識の中に支那事変の意義を教へ込まれることになるのであります。これが初めから終りまで支那事変の説明をやられましたら誰も入らぬと思ひますが、緑波々々で面白がつて見て居る中に五分ばかり支那事変の真意義を聞かされて帰る。これが本当の宣伝のやり方ではないかと考へるのであります」［★4］。要するに、プロパガンダは自分たちですべてをつくるのではなく、コメディアンなどに興行をさせ、そのなかに五分間だけ政

★3　古川ロッパは一九〇三年生まれの喜劇俳優。加藤照麿男爵の家に生まれる。浅草で喜劇団「笑の王国」を立ち上げたのち、東宝の傘下に入り「ロッパ一座」を結成、舞台と映画で活躍し人気を博した。声帯模写という語をはじめて用いたことでも知られる。古川緑波とも。

★4　清水盛明、前掲書、八一－八二頁。

治の宣伝を入れるのが効果的だということです。無骨だと思われがちな陸軍の軍人がこんなことを言っていたのです。

西田　そうしたエンターテインメントを利用したプロパガンダを、実際に人々はどのくらい真に受けていたのでしょうか。先日、公会堂の歴史を研究している方から話を聞く機会があったのですが、当時の聴衆たちは政治の話になると、ぞろぞろ退席したと言っていました。プロパガンダのもとでも、人々は意外と自律した行動をし、主催者側の思惑どおりにならなかったと取れる話でした。それほどベタに受け取っていなかった可能性はないですか。

辻田　そこを正確に検証するのはむずかしいでしょうね。一九四〇年公開の『燃ゆる大空』という映画が、少年飛行兵の募集に影響を及ぼしたとする陸軍の調査もありますが[★5]、これは陸軍が制作に全面協力している映画なので、手前味噌な分析になっている可能性も否定できません。仕掛けた側は、効果を高く見積もりがちですから。

ただ、ここで重要なのは、少なくとも軍人たちは効果があると信じていたことだと思います。当時の人々は、大正デモクラシーの時代を知っていますし、すこしまえのエロ・グロ・ナンセンスの記憶もあります。ですから、退屈なエンターテインメントにはNOを突きつけ、反抗してくるかもしれない。

★5　「校外映画引率観覧問題座談会」、『映画教育』、一九四二年一一月号、一五頁。

そんな恐れを抱いていたので、どうすれば政治的なものを自然に受け入れてくれるのか、当局の側も腐心していたのでしょう。

これは、企業の側も同じことです。今度は、ロッパに並ぶ有名なコメディアン、榎本健一（エノケン）によるレコード「もしも忍術使へたら」の歌詞を紹介しましょう[★6]。一番はサラリーマンがボーナスをお酒で使い果たしてしまい、もし忍術が使えたら女房を煙に巻くと歌っています。三番は女性が主人公で、もしも忍術が使えたら好きな彼氏のアパートに飛んでいきたいと歌っています。どちらもふつうの歌詞です。しかし二番だけは、もしも忍術が使えたら、南京どころか重慶にも攻め込みたいという歌詞になっているのです。日本軍はすでに南京を占領していたので、さらに蔣介石がいる重慶にも攻め込むぞと言っているのですね。あまりにも露骨な内容です。使われている単語もクリークにトーチカ、迫撃砲とたいへん物騒。それが日常的な内容でサンドイッチされています。

おもしろい工夫ですが、これは上から言われてつくったものではありません。ここが大切です。民間の出版社やレコード会社、コメディアンが下から愛国ビジネスをやるなかで、このように結果的にプロパガンダを担ってしまった例は数多くあります。つまり、愛国ビジネスがすべてプロパガンダにな

★6　榎本健一は一九〇四年生まれの喜劇俳優。劇団「カジノ・フォーリー」などを立ち上げたのち、松竹と専属契約を結び「エノケン一座」で人気を博した（のち東宝に移籍）。『もしも忍術使へたら』は映画『エノケンの猿飛佐助』（岡田敬監督、一九三七−三八年）の主題歌で、作詞は山本嘉次郎。本文で言及される歌詞の「クリーク」は中国の平野部などで見られる小運河のこと。当時の戦場を代表する地形であり、ほかの軍歌の歌詞にも登場する。

ったわけではないものの、プロパガンダを見るうえでは「下からの便乗」にも注目しなければならないわけです。もちろん、この動きを踏まえて、政府や軍部の側が民間を誘導して、いわば「空気を読ませて」、プロパガンダに協力させるような動きもありました。

西田　非常におもしろいですね。

辻田　ほかにも琵琶業界は、日中戦争を機にプロパガンダを積極的に担おうとしました。その背景には、人気低迷の危機感もありました。一九三二年に日本放送協会によって行われたアンケートを見ると、浪花節や落語・漫談と並び、琵琶も聴取者に受けていたものの、最盛期だった日清・日露戦争のころの勢いはこれどころではなかったのです。

業界紙『琵琶新聞』の一九三七年の記事を見ると、「この好機先づ起つべきものは琵琶人だ。忠君愛国を強調してゐる琵琶人が、この時奮起一番敢然第一線に躍り出て、大叱咤国民に呼びかけねばなるまい」「再び琵琶全盛時代を招来する秋は今です」［★7］と、なんとも鼻息が荒い。戦争にともなう愛国心の高まりに乗じて、琵琶を盛り上げていこうというわけです。

西田　政治的な目的だけではなく、マーケットとの関係でプロパガンダが民間を巻き込み自律的に加速するという点で、さきほど話した自民党と電通の

★7　佐藤菊南「琵琶復興の波」、『琵琶新聞』一九三七年九月一二日。

情報戦略とも似たところがあります。歴史はかたちを変えながらも、繰り返すというのを感じられますね。

辻田　二〇世紀のプロパガンダと二一世紀の情報戦略に連続している面があることは、わたしも感じています。わたしは戦時の日本のプロパガンダには「Win-Win-Winの関係」があったと言っています。政府や軍部にとっては効果的な宣伝ができ、企業や業界にとっては便乗して儲かるチャンスになり、民衆にとってはおもしろいエンターテインメントを享受できて、生活の癒やしになる。三者がみな得をする関係になっていたというわけです。だからだれも止められないし、暴走すると怖い。

西田　それは他国とはちがった、日本独自のプロパガンダのあり方かもしれません。近年の事例では、ミュージシャンのゆずが「ポップミュージックに乗せればなんでも表現できる」と言ったことと似ています［★8］。

辻田　『音楽と人』という雑誌で、愛国ソングとして話題になった「ガイコクジンノトモダチ」について語られていた件ですね。その曲を聞くと、外国人の友達ができ、彼らから「わたしは日本が好きだけど、あなたは日本のどこが好きなの？」と聞かれて、国民意識に目覚めるという内容です。そこから突然、国歌や国旗、靖国神社の桜の話になり、このグループはオリンピッ

★8　ゆずが二〇一八年四月にリリースしたアルバム『BIG YELL』に収録された「ガイコクジンノトモダチ」をめぐる発言。この曲の歌詞が、国歌や靖国神社について言及した「かなり際どい内容」であることについて、作詞・作曲を行なったゆずの北川悠仁は「文章にして読み上げるとかなり危険そうな内容も、ポップソングにしちゃえば、何だって歌にできるな、と思って書いた」と述べている。『音楽と人』、二〇一八年、音楽と人、九頁。
　なお辻田はこの歌詞とインタビューについて、以下の記事で論じている。辻田真佐憲「ゆず新曲に『靖国・君が代』がいきなり登場、どう受け止めるべきか――政治と流行歌の密接な関係」、『現代ビジネス』、二〇一八年四月一四日。URL=https://gendai.ismedia.jp/articles/-/55216

クの仕事がしたいのかと勘ぐりたくなる内容になっていきます。それまで政治的な発言もなく、恋愛のことを歌っていたひとたちだったために、驚いたひとが多かったようです。

西田　しかしゆずは過去に、NHKのオリンピックテーマソングをやったことがありますね［★9］。日本の現代のミュージシャンは政治に対して、無防備なのか、それとも意欲的なのかよくわかりません。マーケットの論理しか興味がないのかな、とも思ってしまいます。事務所の意向が強いからでしょうかね。

辻田　政府からの要請でやっているかんじがしないという点でも、これも「下からの便乗」の事例だと思います。

「安倍昭恵」というイレギュラー

辻田　ここからは、プロパガンダとして使われていた、戦時下のビジュアル・メディアを見たいと思います。最初は『戦線文庫』［★10］。戦地の兵隊や国内の傷病兵に配られた、海軍の慰問雑誌です。表紙の女性イラストが印象的ですね。映画女優、歌手、レビューの踊り子のグラビアも載っており、

★9　二〇〇四年七月にゆずがリリースし、同年のNHKアテネオリンピック放送テーマソングとなった「栄光の架橋」を指す。この曲名をもとにした体操男子団体決勝での実況「伸身の新月面が描く放物線は、栄光への架け橋だ！」は流行語大賞にもノミネートされた。

★10　『戦線文庫』は一九三八年から一九四五年まで海軍が発行していた、非売品の慰問雑誌。グラビアページには李香蘭ら、当時のスター女優の写真がメッセージとともに掲載された。編集は文藝春秋の流れを汲む戦線文庫編纂所（のちの日本出版社）が担っており、二〇〇五年には日本出版社から一部の号の復刻版が出版されている。後出の『陣中倶楽部』は陸軍が一九三九年から一九四四年まで発行した慰問雑誌で、こちらも非売品。編集は講談社が担った。

「どこまでも攻め、どこまでも勝ってくださいね」なんてセリフが添えられていたりします。陸軍にも『陣中倶楽部』という雑誌がありました。

こういう誌面を採用したのも、お念仏のように「決死で戦わなければならない」と書くだけでは読まれないし、士気の高揚にもつながらないからです。この雑誌も軍ではなくて、委託を受けた民間の出版社によって制作されていました。

西田　ここにも下からの協力があった。美少女キャラクターを使う現代の自衛隊広報と似たようなものでしょうか。

辻田　いまでいうと、自衛隊広報誌『ＭＡＭＯＲ』の表紙でアイドルが制服を着て敬礼をしているのと似ています［★11］。当時のグラフ誌としては、政府が日本人向けにつくった『写真週報』もよく知られています。その第二号には、大量にばら撒いて人々に影響を及ぼすという意味で、「写真は［……］毒瓦斯でもある」と書かれています［★12］。こうした喩えはほかにも「ビラは紙の爆弾である」、「音楽は軍需品である」、「映画は機関銃である」など、さまざまなバリエーションがありました。ですから、ルーズベルトをモデルにしたアメリカ人が「ＪＡＺＺ」と書かれた毒饅頭を

図1　『戦線文庫』復刻版（日本出版社、左）と『MAMOR』（扶桑社、右）

配っているマンガも出てくるわけですね［★13］。それに気づいた子どもが仕返しをするという筋立てで、ジャズは英米の悪質なプロパガンダだと訴えているんです。

　ほかのマンガも見てみましょう。『翼賛一家』という作品があります。ここに登場するキャラクターは、「翼賛協力金」さえ支払えば、だれでも使っていいことになっていました。長谷川町子もここに参加しています。八歳の少女「大和稲子」なんて、『サザエさん』のワカメちゃんそっくりで驚きます。そう考えると、四八歳の壮年男性「大和賛平」も、波平のように見えてきます。

　さらにアニメの分野では、桃太郎が真珠湾攻撃をするという珍奇な作品がつくられています。『桃太郎の海鷲』（一九四三年）です。「鬼ヶ島はハワイだ」というわけです。

　ここで意識されていたのはディズニーでした。映画評論家の今村太平は、ディズニーの芸術としての優秀さはプロパガンダとしての優秀さにつながっているのだから、われわれも同じくらいのものをつくらなければ宣伝で勝てない、ということを言っています［★14］。

図2 『翼賛一家』の始動を報じる新聞記事（『朝日新聞』、1940年12月5日朝刊）

★11 『MAMOR』は扶桑社が二〇〇七年から刊行する月刊誌。公式ウェブサイトには「防衛省が編集協力している［……］わが国唯一の自衛隊オフィシャルマガジン」である旨が紹介されている。URL=https://www.fusosha.co.jp/magazines/mamor/

★12 『写真週報』は、内閣情報部（のち情報局）によって、一九三八年から一九四五年まで国内向けに発行、販売されたグラフ雑誌。一九八九年から一九最後に演劇を見てみましょう。宝塚少女歌劇のメンバーが海軍の軍服を着ています。軍国レビュー『太平洋行進曲』の一幕です。内容は他愛のないコメディーですが、最後に海軍記念日の宣伝があり、みんなで万歳を唱えて終わります。宝塚はほかにも『南京爆撃隊』という作品もつくっていて、これらは宝塚の歴史をまとめた年表にも掲載されています[★15]。

かなり急ぎ足でしたが、これで戦前戦中の日本にも、さまざまなプロパガンダがあったことがわかっていただけたかと思います。

西田　どれも興味深いです。現代の情報戦略の観点から見ても、ビジュアル表現の取り扱いはたいへん重要です。ツイッターやフェイスブックのようなSNSではテキストがおもなので、市民の側にもまだ理性の回路を働かせる余地が残されています。しかしインスタグラムのようにビジュアル表現が主体のメディアでは、脊髄反射的にプロパガンダを刷り込むことができ、合成等も読み解きが極めて困難です。

辻田　いまは安倍晋三首相もインスタグラムのアカウントを持っています。

西田　官邸のアカウントと首相個人のアカウントとのふたつがあります。どちらも公務の合間のオフショット風投稿が多いという特徴が共通しています。もちろん演出ですが、「安倍首相は政治家っぽくない」、「われわれと同じふ

九〇年に大空社から復刻版が出版されている。引用部分は、『フォトグラフ・戦時下の日本原誌『写真週報』』第一巻、大空社、一九八九年に収録（頁数なし）。

★13　川村みのる「毒饅頭」、『音楽知識』一九四四年一一月号。

★14　今村は一九四二年に発表した論考「漫画映画の諸問題」で以下のように述べている。「曾てのディズニー漫画の芸術的優秀性は、また思想宣伝戦における武器としての優秀性でもあるわけだ。わが国がディズニー漫画ほどの漫画映画をもたないといふことは、それだけつまり戦時において映画的に劣勢であることを意味する」（今村太平「漫画映画の諸問題」、『映画旬報』第五二号、牧野守監修『『映画旬報』第42巻　昭和17年6月21日号〜7月21日号』、ゆまに書房、二〇〇四年、一四四頁）。

つうのひとなんだ」という印象を与えたいのでしょう。

辻田　ただ、オフショットは諸刃の剣でもあります。たとえば安倍首相の場合、加計学園の理事長とバーベキューをしている写真が問題になったことがありますし、安倍昭恵首相夫人の写真もなんどか炎上しています。

　話が脇道にそれますが、昭恵夫人の行動はしばしば、党の情報戦略の一環なのかどうかが取り沙汰されます。西田さんも昭恵夫人にインタビューをされてますね［★16］。

西田　『週刊プレイボーイ』に昭恵夫人の言動と自民党のメディア戦略についてコメントを寄せたのが先方の目に留まり、向こうから呼ばれるかたちで取材が実現しました。あのインタビューは、まだ森友学園・加計学園問題［★17］が起こるまえの二〇一六年ですね。彼女のひととなりをネットで読めるところに引っ張り出したという意味で、われながらいい仕事をしたと思います（笑）。

辻田　安倍首相が毎晩声を上げて祈っているとか、大麻や「波動」がどうだとか、なかなかインパクトのある話がされていました。首相夫人へのインタビューはまさに情報戦略のリアルな現場ですが、当日の空気はどのようなものだったのですか。

★15　小林公一監修『宝塚100年史　虹の橋　渡り続けて　舞台編』、阪急コミュニケーションズ、二〇一四年、二一〇－二一一頁。

★16　西田による昭恵夫人へのインタビューは以下。「『日本の精神性が世界をリードしていかないと地球が終わる』安倍昭恵氏インタビュー」、『BLOGOS』、二〇一六年一一月九日。URL=https://blogos.com/article/197071/

　後出する西田が『週刊プレイボーイ』に寄せたコメントは「安倍昭恵首相夫人の独自活動は自民党メディア戦略の一環か？」、『週プレNEWS』、二〇一六年九月一〇日。URL=https://wpb.shueisha.co.jp/news/politics/2016/09/10/71741/ 西田はこの記事で、昭恵夫人の言動が自民党の広報の一環か否かについて見解を述べている。昭恵夫人は二〇一六年の参議院選挙に野党候補として出馬したミュージシャンの三宅洋平に対

西田　基本的には記事そのままです。ぼくは呼ばれたから行ったのですが、行くと「偏見を持たないため」ということで、なにも予習していない彼女が「なんでも質問してよい」と言う。そして、一時間きっかりで終了し、お土産を渡される。そして、公邸の「控えの間」にはつぎの訪問者が控えている。すべてが流れ作業なんですね（笑）。内容は昭恵夫人も掲載前にチェックしているので、削りたい話題を削ることもできたはずですが、ご指摘の大麻や波動のようなかなりきわどい話もそのまま残されていました。

辻田　自民党は情報戦略を重視していますが、彼女についてはストップがかからなかったわけですね。

西田　そもそも昭恵夫人は、自民党の情報戦略と無関係に行動しているのだとぼくは推測しています。到達点が設定されてこそメディア戦略と言えますが、彼女の言動はあまりにイレギュラーで、合理的な目標が見えません。

辻田　各政党がメディアを活用している現代でも、コントロールの外の部分があるのだと。SNSでいえば、日本青年会議所（JC）が憲法改正の議論を起こすためと称してツイッターで「宇予《うよ》くん」なるキャラクターのアカウントをつくり、中国・韓国や野党議員を誹謗していたと批判を受けました。ビジュアルに話を戻せば、そのときに流出した内部文書にも、文字だけのツ

話を呼びかけ、その後ともに反対運動の渦中の沖縄県高江のヘリパッド建設予定地を訪れるなど独自の行動で注目を集めていた。

★17　森友学園問題と加計学園問題は、いずれも安倍政権をめぐる汚職疑惑。ともに二〇一七年前半よりメディアに報じられたことから、「モリカケ問題」という俗称であわせて扱われることが多い。

　二〇一六年に学校法人・森友学園が大阪府豊中市の国有地の払い下げを受けた際、土地の評価額が約九億五六〇〇万円だったのに対し、実際にはその七分の一以下の約一億三四〇〇万円で払い下げられていた。同地に開校予定の小学校の認可手続きが「安倍晋三記念小学校」という名称で進められていたこと、同校の名誉校長に昭恵夫人が就任していたことが報道され、安倍首相の払い下げへの関与が疑われた。またこの問題をめぐり、財務省理財局が国会に提出した

イートでは読まれない可能性があるので、必ず綺麗な花や日の丸の画像を入れるのだと書かれていました。

西田 その内部文書については、マーケティングの世界と政治の世界のあいだである種のミスマッチが起きていると思います。マーケティングの世界では、画像を入れることでページビューやエンゲージメント率を向上させるというのが定石です。それを政治に詳しくないマーケティングのプロがJCに指示し、逆にマーケティングをわかっていないJC内部の担当者が、なにもわからないままとりあえず日の丸の画像を入れればいいのだと考えた。そんな誤謬があったのではないでしょうか。ビジュアルはテキストよりも警戒心なく受容できてしまう反面、マーケティングと政策両方の文脈がわかる専門家は意外と少ないので、コントロールがむずかしいのかもしれません。

辻田 政党関係者以外の投稿も考えるとなおさらですね。首相と会った女性が、首相とのツーショットを「ＳＮＯＷ」で加工してアップロードしたこともありました。

決裁文書に、複数の大臣や昭恵夫人らの名前を削除するなど改竄があったことが明らかになった。

二〇一七年に学校法人・加計学園が「国家戦略特区」の事業者として、国内で五二年ぶりとなる獣医学部の新設の認可を受けた。これについて同学園の理事長が安倍首相と長年の友人であることから、便宜が図られたという疑惑が浮上。愛媛県職員が柳瀬唯夫首相秘書官と面会した際の文書に、「本件は、首相案件」と記されていたことから疑いが深まった。

忖度は戦前から

西田　ここまで辻田さんに、歌から視覚メディアまで、戦時のプロパガンダの事例を紹介していただきました。「空気を読ませる」という点では、辻田さんが『空気の検閲』（二〇一八年）で分析された、戦時の日本の検閲と共通すると思います。同書では、戦時の日本はメディアに空気を読ませて自粛を促すというアプローチを取っており、その戦略は費用対効果も高く、合理的なものだったという議論がされています。

辻田　検閲というと、天皇制への反対意見からエロまで、国の禁忌に触れるようなものがかたっぱしから発禁処分される、というイメージを持っている方が多いと思います。ところが検閲官の実際の仕事を見ると、どうも事情がちがったようです。というのも、検閲の司令塔だった内務省の図書課――途中で名前が変わるのですが――という組織を見ると、所属する職員は昭和初期には二〇数名しかおらず、最盛期でも一〇〇名ほどしかいないのです。各庁府県に別個実働部隊もいたとはいえ、こ

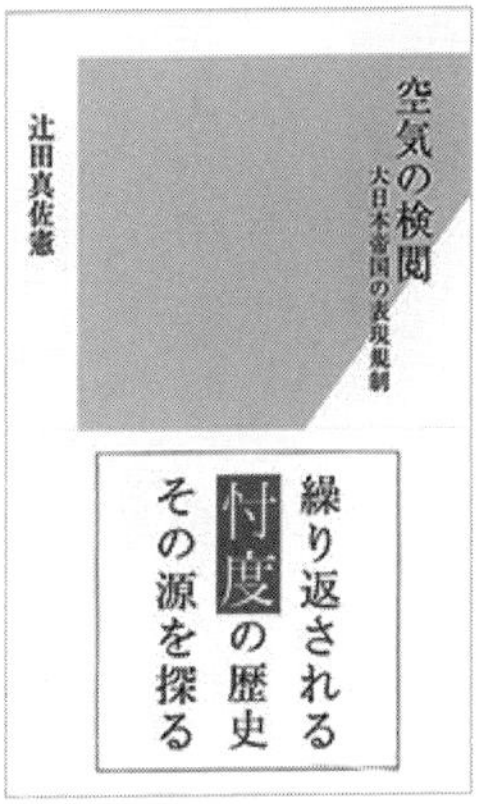

辻田真佐憲『空気の検閲』（光文社新書）

の人数では、日本中の新聞や図書雑誌を網羅的に検閲することは到底できないでしょう。

西田　人手が足りなかった、と。

辻田　職場環境も劣悪で、検閲官が神経衰弱になりどんどん休職していたという話が昭和初期の新聞に出ています。いまでいう「ブラック部署」だったわけです。一九三四年から始まったレコードの検閲では、担当者が二名しかいなかったほどです。

西田　現代でたとえるなら、フェイスブックに違法アップロードされるポルノを探しては削除するような仕事です。心を病んでしまうのも理解できます。

辻田　グロ小説みたいなものもありましたからね。ずっとそれを読んでいたら潰れてしまいます。そこで日本の検閲では、発禁か不問かというゼロかイチかではなく、その中間くらいの処置を挟むようにしていました。「今回は注意で済ませるが、つぎにやったら発禁にする」、「この出版社は協力的だから見逃すけれど、あそこは非協力的だから即発禁」などと、うまく使い分けていたわけですね。刀を抜くと見せかけて抜かない。でもガチャガチャと刀を鳴らしておく。そうやって編集者や著者、出版社といったメディアに関わる人々を自主規制や自主検閲へ誘導し、少ない人数で効率的な検閲を行なっていました。

西田　現代では憲法が禁じていることもあって検閲自体は行われていないはずですが、そういう「空気」は社会のあらゆるところで常態化していると思います。

辻田　いちいち命令してそれを紙に落とすのではなく、日常のコミュニケーションのなかでなだめたり脅したりしながら相手に忖度させていく。それがきわめて効率的な業務処理だという話は、現役の役人からも聞きます。大企業も同じでしょう。よく知られるように、ヒトラーのユダヤ人虐殺命令も文書としては残っていません。彼は、重要な指示は口頭で行い、しかも曖昧なかたちにとどめたそうです。そうやって部下に空気を読ませて、物事を進める。それは、二〇世紀型の権力のあり方なのかもしれません。

西田　「空気」による指示は現代でもなんども繰り返されているにもかかわらず、それが参照されていないのが問題ですね。森友学園に話を戻せば、格安で払い下げを受ける際に埋蔵物を理由にするのも、歴史上なんども繰り返されてきた辻褄合わせです。毎日新聞の総務をしていた吉原勇さんの『特命転勤――毎日新聞を救え!』（二〇〇七年）という手記を読むと、国有地をイレギュラーに取り扱うとき、伝統的に埋蔵物が口実として利用されてきたことがよくわかります[★18]。具体的には朝日新聞が築地に移転する際に、それまで使っていたグラウンド――こちらも国有地だったのですが――に縄文時代の遺跡が発見されたことを理由に、それを国に返還して築地の国有地を払い下げてもらっています。

辻田　多くのメディアの所在地は、たいてい元国有地です。いま毎日新聞があるところはかつて文部省があった場所ですし、朝日新聞があるところは海軍の施設だったはずです。

西田　毎日新聞の大阪本社の場合は「大阪城三の丸の遺構発見」が土地の取引の理由になっています。『特命転勤』には政治的なアプローチを含めて克明に描かれていて、森友問題ととても似て見えます。あくまで推論の域を出ませんが、近畿財務局には土地取引のノウハウがあるのではないかと勘ぐりたくなります。

辻田　森友学園について言えば、いまの会計検査院が戦争の歴史と深く関係しているということも忘却されています。かつて戦争の軍事費は年度会計ではなく、戦争が終わるまで一本の予算になっていました(臨時軍事費特別会計)。軍事機密ということでチェックもされなかったため、たいへん不透明で、その肥大化も止められませんでした。その反省を受けて、会計検査院は独立し

★18　吉原勇『特命転勤――毎日新聞を救え!』、文藝春秋、二〇〇七年、四九頁以下。

て厳密なチェックを行うと、憲法にも書き込まれることになりました。にもかかわらず、また同じような辻褄合わせが起こったわけです。

戦後七〇年以上が経ち、一昔前にあたりまえだった歴史の教訓という観点がすっぽり抜け落ちていることを、森友学園の事件であらためて感じました。官僚の問題についても同じです。一〇年二〇年後に歴史家の検証を受けるかもしれないという心配を、ぜんぜんしていないのではないでしょうか。

西田　別の言い方をすれば、われわれの国家が改竄体質、隠蔽体質を抱えているということを忘れてはならないということです。だからぼくは、情報公開がきわめて重要だと考えています。現代史にかぎっても、薬害エイズに東海村原子力事故、沖縄密約事件、どれも情報の隠蔽が問題になっています。一九八〇年代の中曽根康弘内閣や一九九〇年代の橋本龍太郎内閣、そして森喜朗内閣での一府一二省庁への改革の過程で、内閣や官邸の権力は増大しつづけています。このときの目的のひとつに、政府の広報機能の強化も挙げられており、いまの内閣広報室や政府広報室の組織ができました。その一方で透明性や説明責任の強化を促すアプローチはほとんど取られてきていません。もちろん日本にも情報公開法はありますが、これは地方自治体における条例からあとづけするかたちで成立したもので、国家を監視するために透明性を確保するという思想は欠けています。森友・加計のような問題についても、国家戦略特区だからなにをしてもいいという話に落とすのではなく、説明責任を追及し、機能するガバナンス上の仕組みをビルトインすべきです。

デジタル・ゲリマンダリングの時代

辻田　ここまで現代の情報戦略も二〇世紀的な話の延長に落ち着いているように思います。新しい時代のプロパガンダ、たとえば各個人に最適化して情報を変えるような、SFめいたプロパガンダはまだ現実味がないのでしょうか。ネットとビッグデータを利用した情報戦略になにか可能性はありますか。

西田　まだまだむずかしいですが、近いものとしてはフェイスブックの感情感染の実験があります。アメリカの選挙において、フェイスブックで投票に行くことを促すメッセージを出した郡と出さなかった郡とを比較したところ、促した郡が投票所に足を運ぶ有意な結果が出たというものです。こうした操作に対して、ジョナサン・ジットレインはデジタル・ゲリマンダリングという呼び方で批判を展開しています［★19］。ただし、二〇一六年のアメリカ大統領選でコンサルタントをしたケンブリッジ・アナリティカのような事例も

★19　ゲリマンダリングは特定の政党や候補者に有利になるよう選挙区割りを恣意的に制定する行為。ハーバード・ロースクール教授のジョナサン・ジットレインはこれを敷衍し、SNSを通した選挙操作を「デジタル・ゲリマンダリング」と名づけ批判している。Jonathan Zittrain, "Facebook Could Decide an Election Without Anyone Ever Finding Out: The scary future of digital gerrymandering—and how to prevent it," *The New Republic*, June 2, 2014. URL=https://newrepublic.com/article/117878/information-fiduciary-solution-facebook-digital-gerrymandering

★20　ケンブリッジ・アナリティカは、二〇一三年に設立された選挙コンサルティング会社。有権者の行動履歴データにもとづく心理分析を利用した「マイクロターゲティング」広告によって知られ、二〇一六年の英国EU離脱投票とアメリカ大統領

ありますが、やや過大視されすぎな印象です［★20］。現実的に考えれば、フェイスブックの技術力や浸透度で可能なのは、投票所に行くことを促すところまでで、どの候補を選ぶかまでをコントロールできるとは現状ではとても思えません。そのさきの操作となると、行われた形跡はいまのところ実証されておらず、ましてや投票結果を左右する規模でとなると、実現までもうすこし時間の余裕があるのではないでしょうか。

辻田　なるほど。

西田　人々がSNSをどれだけの依存度で眺めているかも疑問です。とりわけ日本では、各国と比べてインターネットに対する信頼度がかなり低くなっています。ネットを使っているひとの割合は増えていますが、公的な選択を行う参考にしているかは別の問題です［★21］。『情報武装する政治』（二〇一八年）でも書いたとおり、いまはテレビの信頼度が相対的に上がっているという研究すらあります［★22］。以前から新聞が最も信頼されているメディアで、部数が減っても信頼度は落ちていませんでした。その地位が最近になって低下し、テレビに置き換わっているんです。とはいえこのデータは、一口にテレビと言ってもNHKが大きなウェイトを占めているとも読めるもので、なかなか複雑です。おなじように、インターネットと言ってもツイッターやフ

選挙において、それぞれ勝利した陣営に関与していたことで注目を浴びた。しかし二〇一八年に、フェイスブックユーザーの個人データを不正に取得し利用していたことが内部告発によって明らかになり、同年に破産手続きを申請した。

★21　第四章で取り上げるコロナ禍についても、総務省の「新型コロナウイルス感染症に関する情報流通調査　報告書」によれば、ウェブメディアは利用率に比べて信頼度が低いという調査結果が出ている。

★22　西田は『情報武装する政治』において、「『信頼できる情報を得る』で最もインターネットを利用すると回答した者は29・0％となり、対照的にテレビを最も利用する者が40・5％、新聞を最も利用する者が21・2％となっている」とする二〇一六年の総務省の調査などを引き、「新聞は伝統的な『信頼できる情報を得るためのメディア』と

ェイスブック、インスタグラムといろいろなメディアがあります。そのなかで単純にフェイスブックの書き込みひとつ、フェイクニュースひとつを取って、それが意志決定に直接影響を及ぼしていると結論するのは非常にむずかしいと思います。いずれにしても、われわれの意志決定へのメディアの影響を考えるうえでは、そのメディアに対する信頼度を考慮しなければいけません。意外と複雑で、メディア環境の総体を冷静に俯瞰する必要がありそうです。

辻田　影響力の測定が困難なのだとすると、逆にインターネットの影響力が過少に見積もられている可能性はないのでしょうか。

西田　さきほどの統計からは、単体ではそれほど影響力を持っていないと推論するほうが妥当で、メディア環境の総体を冷静に俯瞰する必要がありそうです。

辻田　しかしたとえば官邸前でのデモを見ると、ツイッターはあるていど動員力があるように見えます。あるいは最近では、国会議員にもインターネット上の陰謀論をもとに質問をするひとがいるくらいです。それに情報戦略の当事者が書いている本を読むと、ケンブリッジ・アナリティカにしても、自民党の情報戦略を成功に導いたとされる小口日出彦さんの『情報参謀』（二

いう点でもテレビやインターネットに劣ると生活者から受け止められることが出てきた」と指摘している。西田亮介『情報武装する政治』、KADOKAWA、二〇一八年、七六頁以下。

〇一六年）にしても、自分たちの影響を主張しているものばかりです。ネットの情報戦略の影響力をどれぐらい客観的に検証できるかは大きな課題です。

西田　実務家の場合、選挙で自分が大きな功をなしたと主張することがつぎの仕事につながりますからね。小口さんの著作の記述は、ぼくが聞くかぎりでも、すこし割り引いて読む必要がありそうです。自民党のキャンペーンをデザインし、成功させてきたというのは実務上、強力なPRになりますしね。

辻田　仕掛けた側が成果を主張するのは、戦前の軍人と変わらない。

西田　戦略が実際に成功したかとは別に、彼らのように「これが効いたのだ」と念を押すことそのものの効果はあると思います。それが政治家たち自身の成功体験になるからです。実際に自民党が大勝した二〇〇五年の郵政選挙では、与党と野党の情報戦略の明暗が分かれ、その後の戦略や組織開発に大きな影響がありました［★23］。自民党は二〇〇〇年代を通じて広報の改革に力を入れていて、それを郵政選挙でも導入したから勝てたのだと、まさに当時担当だった安倍さんや世耕弘成さんらが主張した。それで党内でお墨付きを得られたのです。その後、安倍さんは総理になり、世耕さんも政府、党の要職を歴任しています。これに対して民主党では、大敗した戦犯として、当時契約していた外資系広告代理店であるフライシュマン・ヒラード・ジャ

★23　郵政選挙は、二〇〇五年に行われた衆院選の通称。郵政民営化の是非を国民に問う目的で、当時の小泉純一郎首相が衆議院を解散。反対派の自民党議員を公認せず、同じ選挙区に賛成派の候補を擁立したことが、「刺客」、「くノ一」といった言葉でメディアに取り上げられた。ほか、当時ライブドアの社長だった堀江貴文を擁立するなど、「小泉劇場」と呼ばれた話題性の強い選挙戦略を取ったことで自民党は圧勝。新人議員も多数当選し、彼らは「小泉チルドレン」と呼ばれた。

パンが契約解除されました。その事情は同社の代表の田中愼一さんや、作家の大下英治さんの書籍にまとめられています[★24]。その後、自民党出身で電通と関係が深かった小沢一郎さんが合流しますが、当時の民主党にはすでに博報堂が関わっていたため、電通と博報堂という水と油のような二社がぶつかってしまった。さらには個人のPRパーソンを登用することになったりと、迷走していきます。つまり情報戦略が効いたと思うこと自体が「空気感」をつくり出し、プロパガンダ的な性質を持つことがあると思います。

辻田 情報戦略の「成功神話」自体が循環していくわけですね。その作用も含め、情報戦略の効果を社会科学として実証するのは今後もむずかしいでしょうか。

西田 かなり変数が多いので、完全な実証はむずかしいと思います。また各陣営が似たような情報戦略を使うと有意差の検証が困難になります。ただ相関レベルではあるものの、ぼくは二〇一三年の参議院選挙におけるツイッターでの書き込みを、毎日新聞と共同で分析しました。各政党のツイートとリツイート量と得票数の相関を調べたのです。しかしどの政党においても、有意な相関は見られませんでした。唯一、共産党だけは例外的に有意な結果が得られたのですが、これは単純にもともとの支持者が党のツイートを盛ん

★24 田中愼一・本田哲也『オバマ現象のカラクリ――共感の戦略コミュニケーション』、アスキー新書、二〇〇九年、七五頁以下。大下英治『権力奪取とPR戦争――政治家という役者たち』、勉誠出版、二〇一一年、第一章、第二章。

にリツイートしていると考えるべきでしょう。ネットの動きがマクロな選挙結果に影響を与えたとまでは結論できないと考えています。

辻田　もし中国のように、国が個人情報をすべて管理し、データを紐付けることができるようになれば、「このひとはこういう本を買いこういう動画を見ているから、このひとに投票する」という具合に、個々人の思想信条や投票行動を推定できるようになるのでしょうか。

西田　そうかもしれませんが、現在、日本ではそう簡単にデータの統合はできません。また仮にできたとしても、それを既存の選挙区選挙に対応させて活用するのはなかなかたいへんそうです。

　ちなみに中国といえば、検閲のあり方がかなり変わってきているようです。中国版のツイッターでは政府批判をしたらすぐに凍結されてしまうイメージがあるかと思いますが、いまはガス抜きとしてよほどのものを除いて削除されないらしいです。ではなにを規制しているかといえば、何時にどこに集合するかという、具体的な集合行動につながる書き込みです。情報技術とともに検閲も進化しているわけです。

辻田　すべてを取り締まるのではなく、ゆるやかにコントロールしていく戦略は、日本の「空気」による検閲と似ている気がしますね。

国民投票法の危険性

辻田　インターネットが投票行動と関係しないなら、ツイッターでの盛り上がりが官邸前デモにたくさんのひとを動員しているように見えても、野党がなかなか選挙で勝てないことも理解できます。

西田　身も蓋もないことを言えば、やはり選挙の投票数が代表的な指標です。たしかに官邸前デモに集まっているひとはたくさんいますが、必ずしも日本全体で見たときのマジョリティとは言えないでしょう。

辻田　つまり情報技術は見かけの影響力を高めるだけで、ノイジー・マイノリティをつくり出しているということですね。情報戦略の影響をどう計測するかはほんとうにむずかしい問題です。ナチスがプロパガンダによって政権を取ったという話は有名ですが、じつはその話自体がプロパガンダなのではないかという指摘もあります［★25］。実際、ヒトラーが首相になるときに、ナチスは国会で半数を取れていませんでした。彼が首相になれたのはプロパガンダによって世論を自在に操作したからというより、ヒンデンブルク大統領の側近たちと手を握ったからです。プロパガンダが弾丸のように心を打ち抜

★25　たとえば、佐藤卓己「『ナチ宣伝』という神話」、『Accumu Vol.5』、京都コンピュータ学院アキューム編集部、一九九三年を参照。

くという説は、現在では通用しません。今日の自民党にしても、先進的な情報戦略が世論形成に強い影響力を与えているかは疑問です。たんに支持母体がしっかりしているから勝利している面も大きいと思います。

西田　日本にかぎれば、そもそも野党が非常に弱いことも分析をむずかしくしています。なにが原因で勝敗がついたのかすらよくわかりません。

辻田　野党は情報戦略にどのように取り組んでいるのでしょう。

西田　立憲民主党の場合、前身の民主党時代から広告代理店と組んだり、ネットの分析を行なったりしています。ただ、それが選挙に影響を与えていると言いがたいのは述べたとおりです。近年では元SEALDsのひとたちを積極的に取り込んでいるという話を聞きます。若者については若者がいちばんわかっているので、彼らが広報に携わることで、フォロワーの伸びにインパクトがあるだろうとは思います。ただその情報発信自体は「見てくれはかっこいいけど内容は微妙」という印象です。まず野党に必要なのは情報戦略だけではなく、人々を説得できるような政策や主張だと思います。それを用意するのには時間がかかるので、若い世代の共感を得る情報戦略で時間を稼ぎつつ、なるべく早く内実をつくりあげる必要があるでしょうね。この主張は野党の当事者や支持層にはあまり共感を得られないのですが。

辻田　いまの日本の政党の情報戦略は、与党も野党もそれほどうまくないようですね。

西田　ぼくはその原因は、政治広報に参画する広告代理店やＰＲファームが政治をほとんど理解していないことにあると考えています。小規模な事業者は、選挙運動期間以外は投票を促してはいけないなど、公職選挙法の基本もわからないいまま広報を担当している印象も拭えません。しかし、マーケットの世界でうまく行く戦略が政治の世界でもうまく行くとはかぎりません。両者をつなぐ知識を持っているひとが乏しいのです。これは日本と他国の政治の大きなちがいです。たとえばアメリカでは「思想の自由市場」がうたわれていて、選挙運動も言論の自由のバリエーションと考えられているため、政治とマーケティングに高い親和性があります。資金を除くと、規制も最小限です。ビジネスにおける「なんでもあり」の方法論が、そのまま政治の情報戦略でも機能しがちですが、日本の公職選挙法はちがいます。

辻田　日本で政治とマーケティングの距離が埋まらない理由には、国土の狭さが関係しているのではないでしょうか。政治家はよく、握手したひとしか投票してくれないという話をします。つまり情報戦略を巡らすよりも、現地を回って一人ひとりと握手する「ドブ板」のほうが得票につながるのではないか。政治家も投票者も高齢化していますから、余計にその傾向があるように思えます。

西田　日本のほうがドブ板重視だとも言い切れません。アメリカでは戸別訪問が選挙戦略のイロハのイですが、日本では金権選挙を防ぐため戸別訪問は禁止されています。またアメリカではプロパガンダのノウハウが洗練されているだけでなく、政治の世界で使われた新しい広告戦略が民間で利用されることも多い。さきに触れたフライシュマン・ヒラード・ジャパンの田中さんは、この事態を「アメリカ大統領選挙はマーケティングのF1」と評しています［★26］。政治と市場、規制がかけ離れた日本とはまったくちがいます。

辻田　そのなかで国民投票法に関しては、日本でも規制がありません。博報堂出身の著述家である本間龍さんは、憲法改正をめぐる国民投票は宣伝合戦になるという予測をしています［★27］。広告代理店に勤めていた方なので、現場の言葉として説得力を感じました。そうなればお金も組織力も大きい政権側に世論が引きずられてしまうことも懸念されます。はたしてどのようなプロパガンダが出てきて、どこまで影響力を持つかは未知数です。

西田　その点について、立憲民主党は国民投票法の改正を行うべきだと主張しています。ぼくもそのとおりだと考えています。通常の選挙は公職選挙法

★26　田中は本田哲也との共著『オバマ現象のカラクリ』（アスキー新書、二〇〇九年）で、選挙では「さまざまなコミュニケーション手法が開発され、コミュニケーション・コンサルティングの世界で活用される」とし、「なかでも、アメリカ大統領選はコミュニケーション技術を競う最高峰のレース、まさにF1GP」だとたとえているほか（一〇-一一頁）、西田の『ネット選挙とデジタル・デモクラシー』（二〇一三年、NHK出版）に収められたインタビューでも同趣旨の発言をしている（九八頁）。

★27　本間龍『メディアに操作される憲法改正国民投票』、岩波ブックレット、二〇一七年、八頁以下。本間は同書において、現行の国民投票法のもとでは広告宣伝の予算で上回る改憲派が絶対的に有利な状況にあるとし、メディア規制の具体案を欧州各国の事例を挙げながら提案している。

のもとで街宣車の台数、拡声機の台数、ポスター、ビラの枚数まで規制されているにもかかわらず、国民投票法はアメリカ大統領選挙のように、投票運動期間の規定も街宣車の規制もありません。テレビCMが二週間前から規制されるだけです。国民への周知が理由です。

そのときどんな宣伝合戦が起きるかを、われわれは過去に一度だけ垣間見ています。二〇一五年の大阪都構想の是非を問うた大阪市の住民投票がそれです[★28]。この投票は大都市地域特別区設置法の施行令にもとづいて運用されました。その内容は国民投票法と似たものです。ぼくは当時関西にいたので、賛成派と反対派に分かれ、それぞれの派閥が街を練り歩いているのを目にしました。国民投票運動ではその光景が全国で起きるのかと思うと、なんらかの規制を入れるべきだと思います。

ただ、ゲンロンカフェで憲法学者の曽我部真裕先生と話した際に、彼はむしろ国民投票は盛り上がらないのではないかと予測していました[★29]。改憲についても護憲についても議論が熟していない現状では、危惧するようなことは起こらず、拍子抜けする可能性もあります。

★28　その後、二〇二〇年にも再度の住民投票が行われ、賛成側の大阪維新の会が圧倒的な予算を立てたことが報じられた。結果は二回とも、僅差で反対派が賛成派を上回った。

★29　西田亮介＋曽我部真裕「なぜ選挙は茶番になるのか？――『なぜ政治はわかりにくいのか』（春秋社）刊行記念イベント」、二〇一八年二月二七日。URL=https://genron-cafe.jp/event/20180227/

ワクチンとしての現代史

辻田　戦時と現在に共通して、プロパガンダの効果を客観的に計測するのはむずかしいという話が繰り返し出てきました。だとするとわれわれが警戒するべきなのは、情報戦略そのものより、「情報戦略は成功している」という神話に振り回されることかもしれません。そちらのほうがむしろ現実に人々を動員しているように見えます。

西田　そう思います。オピニオン・リーダーはキレのいいことを言うのが半分仕事だとはいえ、ぼくはその種の断言は有害だと考えています。これは愚痴になりますが、情報と政治については「インターネットが選挙を変えた」と断定する本のほうが売れるわけです。ぼくのように「送り手には送り手の意図があり、受け手は受け手でそれが効いたかは計測できない」と書いていると、なにを言いたいのかわからないと言われてしまう。たしかに現在進行形の事象を客観的に分析することは、社会学のある種の理想像です。しかし後期のマックス・ウェーバーの記述には、われわれには自分が立っている足元について、理解しようとしつづけることだけができるという、「価値中立性」が述べられている［★30］。ぼくもそう考えます。これは社会科学的な研究とは、現在という一点ではなく、現代という――ごく短いスパンであるものの――厚みを持った歴史について記述するものだという認識です。ほんとうに現在進行形の分析は、政治学者やジャーナリストのほうが詳しい。いまの社会学は、権力批判などに安易に加担しすぎているところが少なくありません。

辻田　読者が誤解してはいけないので念のため言っておきますが、われわれはここで歴史の教訓を否定したいわけではありません。歴史を学ぶと、現在とのつながりも見えます。たとえば、戦前にナチスドイツのプロパガンダを研究していた新聞学者の小山栄三は、第二次大戦後、勤務する立教大学に観光学科（現観光学部）をつくることに尽力しています。彼は『戦時宣伝論』（一九四二年）で観光がプロパガンダに使えるという話をしているんですね。日本が戦争に勝ったあかつきには、日本人に大東亜共栄圏を観光させて指導者としての自覚を持たせ、逆に共栄圏の民には日本を観光させてその偉大さを理解させるなどと書いています。現在中国で行われているレッドツーリズム（中国共産党の史跡をめぐる観光）を連想させる考えです。

西田　立教大学の観光学部はいまも有名です。そういう看板の掛け替えはあ

★30　マックス・ウェーバーが「社会科学と社会政策にかかわる認識の『客観性』」（一九〇四年）などの論文で社会科学の原則として提唱した考え方。「価値自由Wertfreiheit」という用語でも知られる。ウェーバーは、社会科学が理想とする純粋に客観的な事実判断は不可能に近く、ひとが事実判断に近づくためには自分がとらわれている価値観とその由来を知り、価値判断から自由になることが必要だと主張した。上述論文の邦訳は、たとえば以下に収録されている。マックス・ヴェーバー『社会科学と社会政策にかかわる認識の「客観性」』、富永祐治、立野保男訳、折原浩補訳、岩波文庫、一九九八年。

ちこちで行われています。東京大学も戦時中にプロパガンダを担当していました。その機関は戦争のあとに東京大学新聞研究所として改組され、GHQの検閲に協力しています。

辻田　プロパガンダを担っていたひとたちは完全に追放されたわけではありません。PRのように言い方を変えて研究を続けるという光景は、どこでも見られました。

わたしからも最後に歴史学の話をしておきます。わたしは大学に属しておらず、外からアカデミズムを見ていますが、近年、大学院の重点化によって、研究者が増加し、研究領域があまりにも細分化しているように思います。そのことによる成果はあるものの、重箱の隅を突くような、オタク的な間違い探しもはびこっています。

しかし、やはり全体像を語ることも大切です。ネット右翼的な歴史観が広がったのは、全体像の欠如と無関係ではありません。日々の生活で忙しい会社員、あるいは政治家に、ある領域の研究書を五〇冊読めと突きつけても現実的ではないからです。

よりよい全体像を語る、ジャーナリスティックな歴史書が必要な理由もここにあります。もしそれを根絶やしにしてしまえば、あとに残るのは、実証主義者の批判などものともしない、トンデモ本だけです。そして現にそうなっているのではないでしょうか。わたしは、全体像というものを、いわば安全装置として利用する視点も必要だと考えています。歴史の教訓が生きてくるのもおそらくここでしょう[★31]。

西田 今日の話は辻田さんのワクチンという喩えから始まりましたが、歴史によって現在の「成功神話」を相対化する仕事をしたいというのは、ぼくもつねづね思っていることです。

★31 辻田がここで述べた見解は、のちに前川一郎、倉橋耕平、呉座勇一との共著『教養としての歴史問題』（東洋経済新報社、二〇二〇年）で展開された。

2

「#自民党2019」をめぐって

2019年7月3日

『ViVi』コラボはなぜ炎上したか

西田　二〇一九年、自民党は「#自民党２０１９」プロジェクトと称される大規模なキャンペーンを行いました。本章では、このプロジェクトの功罪について議論し、令和における政治広報のあり方について考えていきたいと思います。はじめにこのプロジェクトの経過を振り返りましょう。

辻田　「#自民党２０１９」プロジェクトは、令和へと元号が変わった五月に始まり、六月ごろまで自民党が集中的に行なった広報活動です。七月の参議院選挙に向けたキャンペーンとして行われました。まず、四月二五日にプロジェクトのサイトが先行オープンします［★1］。続いて五月一日に安倍首相が侍姿になっているイラストが公開。この絵はゲーム、ファイナルファンタジーシリーズのキャラクターデザインで知られるイラストレーター、天野喜孝さんによるものです。さらに「#自民党２０１９『新時代』」という動画広告が出ます［★2］。これは安倍首相が子どもたちと戯れ、未来をつなぐ

★1　「『#自民党２０１９』プロジェクト」。同サイトでは後出するイラストや動画、インスタグラムアカウントや公式グッズも紹介されている。URL=https://jimin2019.com/

★2　「#自民党２０１９『新時代』篇60秒」。アーティスト、けん玉プレーヤー、落語家、ダンサー、BMXライダーの一〇代の五人によるメッセージののち、安倍首相が「未来をつくりたい」と語る内容。URL=https://youtu.be/ph_VWfjNA5c

というメッセージを宣伝する映像です。子どもを利用しているということもあって、かなりプロパガンダ的に見える広告になっています。

西田　ほかにも、プロジェクト用インスタグラムアカウントの開設や、オフィシャルグッズのリニューアルが行われました。

辻田　それも五月のことですね。プロジェクトとは直接関係ありませんが、同じ時期に首相のツイッターアカウントでは、芸能人と会食したという投稿がされるようになりました。アイドルグループのTOKIOや、大泉洋さんといったひとたちが首相と面会していたようです。広報に使われるだけだというのはわかりそうなものですが、芸能人はなぜ政治家に会いに行ってしまうのでしょう。

西田　単純に、箔がつくと思っているのでしょう。一般に仕事の一環で総理と会う芸能人は政治に対して警戒感があるわけではないですから、「総理大臣が食事をしたいと言っている」とマネージャーに言われたら、スケジュールが空いていれば行くはずです。芸能人以外にも、ぼくの周りだとスタートアップの社長やNPOのリーダーも、しょっちゅう政治家やなんなら安倍昭恵さんにまで会っている印象があります。そして面会したひとはみんな口を揃えて、「会うといいひとだった」と言います。ぼくもそれなりに政治家と会う機会がありますが、政治家にはふしぎとそういう力がありますね。国政で、当選回数を重ねているひとほどそうです。数十万人から数百万人の信任を得て、好まれるうちに揉まれた、一瞬でひとの心を摑む力と言ってもよいのかもしれません。鍛えられたカリスマ性とも言えるでしょう。

辻田　六月には吉本新喜劇のメンバーも首相と面会しています。しかし、西川きよしさんが言った「衆参同日選、あんのかい？」という質問に、首相はまったくアドリブで対応できず、妙な雰囲気になったことが報じられました。

　またこの時期にはプロジェクトの一環として、キュレーションサービス、グノシーと連携したライブ動画コンテンツ「グノシーQ スペシャルウィーク 日本政治王決定戦」という番組を配信しています［★3］。中立であるはずのニュース配信プラットフォームとのコラボレーションですから、本来ならかなりインパクトがある出来事だったはずです。しかし実際には話題になりませんでした。

西田　政府のネット上での広報活動は、直接は内閣広報室の所管です。最近はキュレーションサービスとの連携を積極的に進めたり、こちらも大手ニュースメディアであるスマートニュースに「日本政府」のチャンネルを持ったりしています。SNSでの発信にも積極的です。インスタグラムでは、ま

★3　スマートフォンアプリ、グノシーで配信されているクイズライブ動画番組「グノシーQ」の特別番組として、参議院選挙直前の二〇一九年六月一〇日から一六日まで配信された。出題されたクイズの正解数が最も多かった参加者には、「政治王」の称号と安倍首相からのお祝いビデオレターがプレゼントされた。また連動する企画として同期間中、ツイッターとフェイスブックで、ユーザーからハッシュタグ「#自民党2019」をつけた政治に関する質問が募集された。

るで女子高生のようなハッシュタグの使い方をしたり、会見の際に動画配信サービス「インスタライブ」の予告機能を使ったりと、いまふうの手慣れた運用をして話題になっています。政府のSNS運用の器用さは、『ITmedia』の記事でも紹介されました［★4］。ぼくも別の媒体で、内閣官房のSNS運用について掘り下げたくて取材を申し込んだことがあります。しかし、名前を出したのがよくなかったのか、選挙が近い時期だったからなのか、内閣官房には断られてしまいました。一般に省庁への取材では、きちんとした媒体から企画書を出せば、断られることはあまりないので、意外でした。

辻田　たしかに政府のSNSアカウントをだれが運用しているかは気になるところです。幻冬舎の編集者である箕輪厚介さんのオンラインサロンに、首相官邸のインスタグラムの「中の人」が所属しているという報道もありました。これは官僚が勉強としてオンラインサロンに参加したということなのか、あるいはもともとそういうところに参加していたひとが、出向して内閣広報室に関わっているのか、どちらなのでしょう。

西田　ぼく自身では取材できなかったので、正確なところはよくわかりません。少なくとも、内閣官房のスタッフには専任の職員だけではなく、任期付きで勤務するスペシャリストのようなひともいることはたしかです。企業か

★4　「『JKより上手い』『お役所感がない』首相官邸インスタが話題　〝中の人〟の正体に迫る」、『ITmedia NEWS』、二〇一九年四月二三日。URL=https://www.itmedia.co.jp/news/articles/1904/22/news126_3.html　後出の辻田の発言のとおり、以下の記事では官邸のインスタグラムの担当者が幻冬舎の編集者、箕輪厚介のオンラインサロンに参加しており、箕輪と「同い歳くらいの年齢の男」だと紹介している。「〝女子高生より上手い〟首相官邸インスタの投稿者は『箕輪編集室』のメンバー！　箕輪厚介氏『裁量を与えた官邸の懐の深さを感じる』」、『ABEMA TIMES』、二〇一九年四月一六日。URL=https://times.abema.tv/news-article/6072419

ら出向したり、非常勤枠として期限付きで採用するイメージです。しかし、そのスペシャリストに完全に外注しているのか、あるいは専任のひとも協力しながらプロジェクトを進めているのか、そこまでは明らかになっていません。取材したかったのは、そういった職員たちがどういうチーム編成でSNSを運用し、その仕事にどのようなモチベーションやインセンティブを感じているかということでした。

辻田　ちなみにもし西田さんに、政治とメディアのスペシャリストとして「#自民党2019」に参加してほしいという依頼がきたら引き受けますか。

西田　さまざまな条件がありえるので即答はできないですが、やってみてはじめてわかることもあるので、研究者として相当興味はありますね。だからキャンペーンが終わって何年か経ったあとに、情報を公開してもよいという条件であれば、やらないとは言い切れません。しかし将来、研究として発表できないならやりませんね。あとは勤務先の兼業規定や審査との関係次第です。ただ、そもそもこういうことを言っていたら、広報の仕事は来ないと思います（笑）。これまでも与野党問わず政党や政治家の勉強会などに呼ばれることはありましたが、政党とコミュニケーションしながら戦略を練る仕事は引き受けたことはありません。

辻田　なるほど。今回のプロジェクトでは外部と連携した例として、講談社の女性誌『ＶｉＶｉ』とのコラボレーション企画もありました［★5］。『ＶｉＶｉ』の読者モデルたちが自民党マークの入ったＴシャツを着て、これからの日本をどういうものにしたいか語りあうという内容です。一種のタイアップ広告ですが、これが一連のプロジェクトのなかで最も話題になり、批判されます。さきほど触れたグノシーでの番組放送が話題にならなかったのも、同時期の六月一〇日に発表されたこのコラボレーションが大炎上していたためです。そもそもＴシャツ自体がかなりダサい（笑）。正面と背面はいまふうなのに、肩には何十年もまえにつくられた自民党のロゴマークがついているものでした。

西田　そのせいかどうかはわかりませんが、読者モデルはそれほど有名なひとたちではなく、「ViVi girl」という「これからに期待」的な枠の方々だったようです。すでに有名な読者モデルについては、政治系の広告に出て政治色がつくことを嫌ったのかもしれません。

辻田　企画では九人のＶｉＶｉガールたちが日本の未来について語っています。しかし「いろんな文化が共生できる社会に」

★5　「わたしたちの時代がやってくる！　権利平等、動物保護、文化共生。みんなはどんな世の中にしたい？」、『ＶｉＶｉ』ウェブ版、二〇一九年六月一〇日。読者モデルがこの企画に寄せたメッセージは「Be Happy ハッピーに生きていける社会にしたい！」「Open Heart お年寄りや外国人に親切な国でありますように」「Ee Real 社交辞令なんか辞めて、建前がない社会にしたい！」

図１　『ViVi』自民党広告記事トップ画面
写真提供＝共同通信社

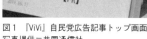

など、その内容が自民党の政策とあまりにもちがうという批判が起こりました。

西田　自民党のマニフェストにあたる「政策集」と比較すると、相反することが書かれているわけではないとも思いました。多様性を尊重する趣旨は政策集にも含まれているはずです［★6］。その意味ではべつに嘘をついたとまでは言えない印象です。

辻田　それはどうでしょう。たとえば企画記事のタイトルには「権利平等」とありますが、都議会で自民党の議員が選択的夫婦別姓に反対しているなど、明らかに矛盾している箇所もあるのではないでしょうか。

それにしても、そもそもこれらのメッセージは、実際のところはだれが書いているものなのでしょう。表向きは読者モデルの方々が自分で書いたように見えますが……。

西田　ほんとうに本人たちが書いたのかもしれないし、広告企画の設定として、そういう見せ方にしただけかもしれない。どちらのパターンもありえると思います。

辻田　いずれにせよこの企画は、発表後すぐにSNSで炎上することになりました。その後六月二〇日に、『週刊文春』がこの問題の経緯をまとめた取

「Diversity いろんな文化が共生できる社会に」「Express Yourself 自分らしくいられる世界にしたい」「Face Your Fear 大きな問題にぶち当たっても逃げるな！」「Look at the Bigger picture 広い視野を持って」「Happy & Smile みんなが幸せで笑顔あふれる素敵な国に♡」「Don't Judge a book by its cover 人を見た目で判断しないでほしい」という九つだった。企画ページはすでに削除されている。

★6　自民党のウェブサイトで公開されている「総合政策集2019 J－ファイル」（URL=https://jimin.jp-east-2.storage.api.nifcloud.com/pdf/pamphlet/20190618_j-file_pamphlet.pdf）には、五五二を数える政策が掲載されている。そのなかで、社会における「多様性」について言及しているものには、以下のようなものがある。第六五項「多様な働き方に資する規制改革の推進」、第四八五項「性的指向・性同一性に関する理解の

材記事を出しています［★7］。『ViVi』の版元である講談社の社員に取材し、投票率を上げるためのキャンペーンだと思っていたのに撮影日になって突然自民党のTシャツを渡され、だまし討ちのようだったという話を紹介しています。ほかにも広告出稿は自民党側から持ちかけた話であるとか、企画の裏に講談社と関係が深い甘利明さんの存在があるとか、いろいろおもしろい内容が書かれています。

西田　この記事には、今回のディレクターが電通ではなくSTARBASEという会社の社員だったと紹介されています。ただこの会社については、ここまで話してきた一連の企画を一社でやりきったのか、かなり疑問です。推測の域を出ませんが、電通の協力会社であるとか、なにかしら関係があるのではないでしょうか。電通はデジタル系が苦手だと一般的に言われているので、デジタル系に強いクリエイティブの企業として協力をしただけの可能性もあると思います。

辻田　この記事が出た翌日に、問題となったページは削除されてしまいます。文春の記事によればこの広告の掲載料は四〇〇万円だったそうですが、そのていどの金額であそこまで炎上してしまったら、割に合わないという議論が講談社の内部であったのかもしれません。

増進」、第五二三項「適正な在留管理と多文化共生社会の実現」など。

★7　「ViVi炎上の裏に甘利明と講談社の〝なかよし〟」、『週刊文春』六月二七日号、二〇一九年、一三六―一三七頁。

西田　どこまでを担当するかによりますが、この規模の雑誌の企画として四〇〇万円はそれほど高額という印象はありません。相手が自民党だからこの金額でやったのではないかと邪推したくなります。その結果が大炎上ですから、終わってみればこの企画は講談社のひとり損でした。一方の自民党は「いずれにせよ話題になってよかった」と考えているでしょう。永田町では「悪名は無名に勝る」と言われています。Tシャツがどれだけダサかろうと、若者に訴えかけようと努力したと見ることもできる。それに今回の選挙キャンペーンでは野党の名前はまったく広がりませんでした。広告戦略の競争において、自民党は勝ったと言っていいでしょう。

広報とプロパガンダの差異

辻田　ここまでで「#自民党2019」プロジェクトの概観はあるていど整理できたかと思います。ここからはこの事例を題材に、日本における政党広報のあり方について、より議論を深めていきたいと思います。西田さんはこのプロジェクトについて積極的にツイッター上で意見を発信していました。とりわけ映画評論家の町山智浩さんとの論争は話題になりました［★8］。

★8　二〇一九年六月一二日に、後出する西田のツイート（URL=https://twitter.com/Ryosuke_Nishida/status/1138284551199809536）に町山が反論したことをきっかけに始まった両者の議論。町山は西田の主張に対して、資金や人脈で優位な与党による政治広告は規制されるべきだと批判した。これに西田は、政治広告の規制を強化しても有権者の政治参加の機会を毀損するだけだと応じ、むしろ与野党による積極的で健全な競争を推進して政治参加を促進することが必要だと主張した。論争はツイッターにとどまらず、西田が出演するABEMA TVの番組『けやきヒルズ』に町山が中継で参加し「直接対決」を行うに至った。「ViVi広告批判で自民党『真摯に受け止める』西田氏と町山氏〝直接対決〟で考えるメディアと政治」、『ABEMA TIMES』、二〇一九年六月一三日。URL=https://times.abema.tv/news-article/7006526

西田　もともとはぼくのツイートに、町山さんが批判を寄せてきたのがきっかけですね。ぼくの投稿は「#自民党２０１９について。自民党広報の割と優れた創意工夫の範囲内。いまのところ違法性も、サブリミナル等倫理的に問題のある手法も認められない。政治広報といったとき、これしか目に入らないのは他党の展開不足もある。さすがにこれだけで批判するのはどうか。むしろ積極的かつ健全に競争すべきでは」という内容です。

辻田　西田さんのツイートの内容は、法律と倫理というふたつの論点に分かれていると思います。わたしも法律については、西田さんが書いているとおり、今回のキャンペーンに違法性はないと思います。しかし倫理については、わたしも西田さんと意見がちがう部分があります。西田さん自身、論争のなかで立場を変えたようにも見えました。

西田　いえ、ぼくは一貫して、狭い意味での「倫理的に問題のある方法」が存在し、自民党の今回の広告戦略はそれにあたるとまでは言えないと主張しています。たとえば日本の地上波の放送では、サブリミナルは実質的に禁止されています。実際にサブリミナルが効くかどうかはいまだに議論が分かれていますが、倫理的に問題がある手法と見なされているから制限されているわけです。しかし今回の自民党のプロジェクトは、少なくともそうした倫理的な規範を破っていません。

辻田　とはいえ西田さんも、自民党のキャンペーンにまったく問題がないと考えているわけではないですよね。

西田　もともとのツイートでも、キャンペーンにまったく問題がないとはけっして言っていません。そもそも好みとしては、ぼくはこうした情報戦略は嫌いです。また法律についても、現行法に違反しているかどうかという論点とは別に、そもそも選挙についての法律がいまのままでいいかという問題があります。必ずしも現行法がいいと思っているわけではなく、とりわけ公職選挙法と政治資金規正法にはさまざまな問題があると考えています。たとえば二〇一三年に公職選挙法が改正されて、インターネット選挙運動が日本で解禁される流れになったときから、ぼくは著書でネットとその他の選挙運動の整合性のズレに言及してきました。

辻田　だとしたら、町山さんをはじめリベラルな立場の方々と、大まかな方向性は同じはずです。ちょうど彼らが「#自民党2019」のハッシュタグを占拠しようと運動をしていた流れもあったので、西田さんのツイートに引っかかるひとが出てきただけなのではないでしょうか。

西田　むろんぼくも「逆張り」的に主張した部分もあり、もうすこし書き方に工夫ができたとは思いますが、ハレーションを通じて自分の主張を強調したい狙いもありました。推測ですが、町山さんが引っかかったのは法律や倫理についてではなく、むしろツイートの後半の「他党の展開不足もある」「積極的かつ健全に競争すべきでは」という部分ではないでしょうか。野党に競争への参加を促しているように読めるところが、新自由主義的に見えたのではないかと。町山さんはもっぱらそのあたりに言及されている。ただし町山さんにかぎらず、この類のひとたちの問題は、なかば意図的に文脈や話題をずらし、特定のフレームアップをすることです。プロパガンダを批判しながら、自分たちはまさにプロパガンダ的な手法を使うわけです。

辻田　つまり町山さんとしては、そのような競争では自民党のほうが権力も金もある以上、野党は不利な立場に立たされていると考えているわけですね。

西田　ぼくの主張は闇雲に競争するのではなく「健全に競争すべき」という点にあります。しかしそうだとしたら、広報についての「健全な規制」をどのようにデザインするか、具体的に議論する必要があります。このときたとえば「与党も野党も広報にかける予算は同程度とする」というルールをつくったとしても、自民党と野党では議席数がちがうので、自民党は議席あたりにかけられる金額が野党よりかなり小さくなる。これはこれで不公平になってしまう。つまり制度設計に落とし込もうとすると、あの水準の「批判」まがいではものの役にも立たない。また、制度改正の機運がないなら、当面は現行制度のなかで競争していく以外にないとしか言いようもないですしね。

辻田　ではあらためて、西田さんは現行のルールに則った広報活動として、一連の「#自民党2019」プロジェクトは成功したと考えていますか。

西田　自民党の立場に立つなら、かなりよくできていたと思います。民間企業が製品のプロモーションに用いるような戦略と手法を、うまくやりきったと言っていいでしょう。若年世代を取り込むという目的に対して、合理的にキャンペーンが設計されていました。

辻田　なるほど。わたしはどうにも衆愚政治的な印象を受けてしまいました。こういうキャンペーンで投票先を変えるひとは、なにを考えて投票をしているんでしょう。

西田　自民党としては、人々の支持政党を変えることすら目的としていなかったと思います。むしろどこかの政党を明確に支持しているわけではないひとたちへの、自民党という名称の認知拡大のアピールだったのではないでしょうか。投票先を変えさせるところまで行かなくとも、若い世代に自民党という名前をじわじわ刷り込めればよい。たとえるなら漢方薬のようなアプローチだと言えるかもしれません。

辻田　ではそのアプローチははたして「プロパガンダ」と言えるでしょうか。この点はわたしと西田さんの意見がはっきり異なる部分だと思います。わたしは「#自民党２０１９」の方法はプロパガンダにあたり、警戒すべきだと考えています。それに対して西田さんは、今回のやり方はあくまでプロモーションの範疇であるという意見ですね。

西田　そうです。ぼくはプロパガンダと言う必要はないと思っています。

辻田　たとえば、本章で最初に触れた動画「#自民党２０１９『新時代』」についても同じ考えでしょうか。あの動画では安倍首相が子どもと戯れていましたが、これは政治的宣伝という意味で、典型的なプロパガンダの事例だとわたしは思いました。こういうものをプロパガンダとして認識しなければ、戦前の日本やナチスが行なったことと現在の事象が比較できなくなり、そこから学ぶこともできなくなるのではないかと危惧しています。

西田　しかしなにも戦前にまで遡らなくても、子どもと肩を組んでいる映像を見ただけで、安倍首相は子どもや子育て世代に好印象を与えたいのだと分析することは可能でしょう。このプロジェクトを歴史と紐づける必要があるのか疑問です。

辻田　西田さん自身が指摘していましたが、現行の制度では自民党の情報戦略を法律で縛ることはできません。だからこそわたしは、過去のプロパガンダと比較することで、いま圧倒的に優位に立っている自民党の戦略に警鐘を鳴らすことが必要だと考えます。この点では、わたしは町山さんに近い立場かもしれません。むしろ西田さんがなぜプロパガンダという言葉を使うことを避けるのかわからない。

西田　現代の日本社会の状況では、プロパガンダという言い方をしてしまうと、取りこぼしてしまう読者や誤った印象を持つひとがたくさん出てきてしまうと考えているからです。英語圏であれば、プロパガンダという言葉は必ずしもそこまで強いイデオロギー性を持っておらず、「政治的な宣伝」というそのままの意味でも使うことができます。しかし、日本語圏ではそうではありません。プロパガンダと聞くと、ともかくネガティブなものにちがいないと決めつけてしまうひとが多い。だからぼくは「政治におけるパブリックリレーション（PR）やマーケティングの実態を知りましょう」という言い方をするよう心がけています。そのほうが冷静に、事実ベースで考えられる読者が多いと考えるためです。

辻田　ただ評論家の大塚英志さんが批判しているように［★9］、その姿勢は

★9　大塚は二〇一九年七月、自身のツイッターアカウントで、「マーケティング」と称されている自民党と「左派ポピュリズム」と批判されているれいわ新選組を比較する投稿をしていた。投稿は現在削除されている。

プロパガンダをマーケティングと言い換えているだけにも見えてしまいます。

西田　両者はもとは同根です。ではすこしちがう角度から話をしましょう。アメリカにウォルター・リップマンという、研究者でもあるジャーナリストがいました[★10]。冷戦という言葉を世に広めた人物としても知られています。リップマンは、専門家の知識と社会をつなぐひとという意味で「ミドルマン」——いまはミドルパーソンという言い方のほうが適切かもしれません——という概念を提唱しました。ぼくはそういう仕事もしたいと思っているんです。そのためには、既存の分断線を越えて広く批判が届くように、すこし言い方を工夫する必要があると考えています。ただそうすると、今度はもともと近いと思っていた層に届かないというむずかしさを最近は痛感していますが。

辻田　だからプロパガンダという言葉は使わない、と。

西田　それはぼくの師匠のひとりである、社会学者の宮台真司さんを見ていて考えていることとも関係しています。彼はメディアに出ると、「クソ」とか「ネトウヨ」とか、そういう言葉をあえてたくさん使っていると言います。彼は必要だからやっていると言うのですが、ぼくは逆に、そういう言葉遣いでは届かなくなる読者もいると考えています。たとえば最近の若い世代は、

★10　ウォルター・リップマンはアメリカの作家・政治評論家。第一次世界大戦で、アメリカ軍の情報将校として従軍した経験から、ジャーナリズム論の古典となる『世論』（一九二二年）を発表する。そこでリップマンは、人々がメディアなどを通じて形成した世界のあり方＝ステロタイプを用いた政治的宣伝のことをプロパガンダと呼んでいる。

良くも悪くも争いや中傷合戦自体を嫌悪しがちです。世間全般に似た空気を感じます。先制攻撃をせず、その手の言葉遣いをせずに、届けるやり方があるのではないかということです。

進化する自民党の情報戦略

辻田　もうすこし今回の政治広報で用いられた個別の広告を見ながら議論を進めましょう。わたしは今回、『V・i V・i』の広告における女性の表象に問題があったと思っています。実際、今回の炎上は安倍首相が侍になったイラストや子どもと戯れている動画ではなく、この広告に集中して起こりました。自民党は、男尊女卑的な価値観を持った政治家をたくさん抱えています。にもかかわらず、こういうキャンペーンでは、若い女性の活躍を強く押し出します。つまり、女性活躍というスローガンと現実の矛盾点が、今回の広告に典型的に表れてしまった。ネット世論はそこに敏感に反応したのではないでしょうか。

西田　それについては同意見です。ただ、いまは過渡期なんだと思います。日本の政党が今回のようなＳＮＳと従来型の方法を横断した、総合的かつ本格的なプロモーションを行なったのはほぼはじめてのことです。実際にPRが展開する過程を見ると、古い手法と現代的な手法が入り混じっていました。たとえば、各プロモーションが行われるまえには、毎回必ず予告がありました。これは民間企業についても言えることですが、プロモーションを行う際にその内容や意図を事前に伝えてしまっては、施策の効果が薄まります。にもかかわらず予告を行なっていたのは、政党がなにかをするときにはあらかじめ告知をするものだという古い規範から逃れられなかったからではないでしょうか。もちろん受け手の国民にとっては、透明性が向上して好ましいとも言えますが。同じようなやり方は、二〇一三年のネット選挙においても見られました。前章でも見たとおり、当時自民党はトゥルース・チーム（T2）というソーシャルリスニングのチームを設置しました。このときにもやはり事前に告知や記者会見を行い、マスコミ各社向けには詳細な資料も出していました。女性に関する広告が軒並みうまく行かなかったのも、たんに内容の問題だけでなく、こうした古い見せ方の影響もあるのではないでしょうか。

辻田　たしかに今回つくられた広告を見ても、女性の社会進出やそれに伴う社会の変化を、うまく落とし込めていないと感じます。

西田　ちなみに、いま申し上げたT2のその後について自民党に尋ねると、あれは二〇一三年のキャンペーンだからもう解散したと説明されます。実際にソーシャルリスニングは議席に対する貢献度が小さいということで、T2という組織は消滅しました。しかしこれを鵜呑みにし、自民党がソーシャルリスニングから撤退したと考えると早計です。単純にすべてが消滅したわけではなく、T2は広報チームに吸収され、そのノウハウも組み込まれているようです。それが今回の「#自民党2019」にもつながっています。

辻田　これまで自民党の宣伝はひどいものでした。たとえば二〇一五年の安保法制のころにつくられた「教えて！ヒゲの隊長」という宣伝動画は、当時の佐藤正久国防部会長らしきキャラクターが、電車のなかで女の子にいきなり話しかけ、安保について教えるというシナリオでした[★11]。形式としても、フラッシュアニメに政治家自らが声を当てただけの粗雑なものです。それに比べたら今回のキャンペーンは大幅に洗練されていると思います。

西田　二〇〇九年に自民党が下野したときには、動画やパンフレットを使って民主党のネガティブキャンペーンまでやっていました[★12]。

辻田　#自民党2019」からはすこしずれますが、最近の自民党による

図2　「教えて！ヒゲの隊長」の一場面
自民党 YouTube チャンネルより引用
URL=https://youtu.be/0YzSHNISs9g

★11　この動画では、佐藤国防部会長を模した「ヒゲの隊長」が学生らしき「あかりちゃん」に話しかけ、日本国外のさまざまな脅威について説明しつつ安保法制の正当性を主張する。動画の最後で徴兵制の導入を「絶対にありえない」としながら、その理由には触れられないことが物議を醸した。なお、この動

ネガティブキャンペーンの事例として「テラスプレス」が話題になりました[★13]。テラスプレスは運営母体のわからない「正体不明」のインターネットメディアで、自民党本部はこのウェブサイトを参照して小冊子をつくり、所属議員に配布しました。しかしこの冊子に挿入されているイラストは首相がたいへんきれいに描かれていて、敵対する野党の政治家は対照的に醜く描かれています。中身を見ると典型的なプロパガンダだと思いますが、この冊子についてはいかがですか。

西田　これは「#自民党2019」とはまた別の意味で、プロパガンダとは異なると思います。もちろん内容的には問題含みですが、この冊子は広く流通させるものではなく、自民党内というインナーサークルで活用するようにつくられたマニュアルだからです。ところが最近では、こういった内部資料の流出が増えています。すこしまえには、自民党で失言防止マニュアルが配られたというニュースがありました。部外秘と書いてある資料でしたが、メディアの方は大抵それを持っていた[★14]。この資料を見てあらためて思わされるのは、近年の選挙はネットでの活動をはじめマニュアル化が著しく進んでおり、その結果政党優位で展開されているということです。

辻田　内部資料流出の是非はともかく、もとの話に戻すと、プロパガンダは

画のパロディとして、「あかりちゃん」の音声を差し替え「ヒゲの隊長」の主張に反論していく動画「【あかりちゃん】ヒゲの隊長に教えてあげてみた」が作成されている。URL=https://youtu.be/L9WjGyo9AU8

★12　二〇〇九年の衆院選において劣勢を伝えられた自民党は、党のウェブサイトに民主党の政策を批判するアニメーション動画やパンフレットをアップロードした。いずれも民主党の政策の一貫性の欠如を揶揄する内容で、パンフレットは一〇〇万部以上が印刷・配布された。

★13　二〇一九年の参院選に先立ち、自民党本部が所属議員に「フェイク情報が蝕むニッポン トンデモ野党とメディアの非常識」という冊子を配布した。この冊子は自民党の政策を称賛する一方、政府批判を行うメディアや野党を揶揄する文章やイラストを掲載していた。冊子の発行元であるテラスプレスはニ

九九パーセントが失敗しても、のこりの一パーセントで成功すれば、うまく行ってしまいます。アジア太平洋戦争下に「欲しがりません勝つまでは」という広く流布した標語がありましたが、その背景には、箸にも棒にもかからない数多の標語があったわけです。それはフェイクニュースも同じでしょう。なにかひとつが大きく話題になればオーケー。今回のように、選挙の直前にキャンペーンが盛り上がると、内容に関係なく影響力を持ってしまいます。ですからわたしは、こうしたキャンペーンからひとしく距離を取らなければいけないと強く思っています。それは政権を支持する側も批判する側も同じです。こういうと、ネット上で「冷笑系」と揶揄されるかもしれませんが。

西田　その点にも異論はありません。さらに踏み込んで言うと、その問題の根本は日本に現実政治の毒に耐えるための教育が存在しないことです。これは他国ではシティズンシップ・エデュケーションと呼ばれ、教育に組み込まれています。一方日本社会は現実政治をずっと見ないようにしてきた。いま話してきたようなことを義務教育で教え、免疫を形成するべきです。

辻田　現実には自民党のホームページに、政治的に中立でない教育をしている教員がいたら通報できるように、連絡フォームが用意されるような状況です［★15］。教員も委縮して、シティズンシップ・エデュケーションはできな

ュースサイトを運営しており、政権を擁護する記事を多数載せている。二〇二〇年一一月現在、サイト上には「運営者の名称　マスターマインド」「担当部門　terracePRESS編集部」と記載されているが、その詳細は記されていない（URL=https://jterrace.press/privacy-policy#section03）。

★14　たとえばつぎの記事では、「『配布厳禁・内部資料』とある」ことも含めて資料の詳細が記されている。「失言相次ぐ自民、防止マニュアル配布　幹部『あきれる』」、『朝日新聞デジタル』、二〇一九年五月二二日。URL=https://www.asahi.com/articles/ASM5N5WXM5NUTIL022Z.html

★15　二〇一六年六月に、自民党の公式ウェブサイトで「学校教育における政治的中立性についての実態調査」というアンケート調査が公開された。政治的な中立性を逸脱したと判断さ

いでしょう。

西田　政治と教育を比べると、教育のほうがピュアで、脆弱です。ですから政府から教育現場を擁護する仕組みづくりが必要です。

辻田　教育委員会は、もともとそのような意図で設立された組織です。教育に政治が直接介入して軍国主義教育を行なった、戦前戦中への反省からつくられました。しかるに自民党は、教育委員会を目の敵にしています。自民党が教育機関を警戒するのは、かつて社会党の支持基盤を形成した日教組（日本教職員組合）に、教員の多くが所属していた時代をいまだに覚えているのでしょう。実際には、いまは日教組に入っている教員は全体の一六パーセントていどですし、教職員組合全体のなかでの日教組のシェアも四〇パーセントくらいなのですが。

西田　他方でＰＴＡや小学校の家庭訪問といった教育上の仕組みが、選挙運動や政治活動に使われた歴史もあります。政治と教育の関係については、やはり理論ではわりきれないむずかしさがあります。

れる教員の発言を報告するこの調査には、事実上の「密告」を推奨するものだとして、批判が集まった。その後およそ一ヶ月で、自民党はこのアンケートの公開を停止した。

公職選挙法は改正すべき?

西田　「#自民党2019」をプロモーションとして捉える立場から、ぼくは今回のプロジェクトが、政党が民間企業並みの総合的な情報戦略を実施した、日本の政治史上はじめてのケースだという点を強調しました。天野喜孝さんのアート広告を壁面で展開し、若いひとたちを起用した映像を作成し、グノシーとクイズ番組を配信し、『ViVi』とタイアップしてTシャツもつくっている。屋外広告からウェブ、プロダクトまで、あらゆるメディアを動員した総合的なキャンペーンになっています。市民の側が能動的に、ハッシュタグを使ってキャンペーンに参加したり、グッズを買ったりという双方向性もあります。これは海外ではポリティカル・マーケティングと呼ばれている方法です［★16］。

キャンペーンの対象となるセグメントが明確である点も重要です。全体をとおして、若者にアプローチする姿勢を出しています。『ViVi』とのコラボレーションは若年世代の女性にフォーカスしている証左です。これは自民党が明らかに苦手としていた領域です。一方ファイナルファンタジーの天

★16　選挙キャンペーンにおいて、候補者とその主張を「商品」としてパッケージし、企業による商品のマーケティングで使われる手法を用いて、有権者に投票を呼びかけるものを指す。たんなる政治的宣伝だけではなく、市場に相当する有権者層の戦略的な分析が行われることが特徴。アメリカでは二〇〇〇年の大統領選挙を境目に、ポリティカル・マーケティングの手法が広く導入されるようになった。

野さんを起用したイラストは、三〇代くらいの男性を狙っています。こちらはもともと自民党の支持者が多い層で、支持基盤の盤石化を狙うものです。こうしたターゲティングの考え方は、民間における戦略ＰＲそのものです。

辻田　なるほど。西田さんが「#自民党２０１９」を情報戦略としてよくできていると評価するのは、そうした理由があるのですね。

西田　はい。これまでにない水準で、目的合理性が高いキャンペーンになっています。こういったキャンペーンが出てくると、政治の領域でカジュアルな広告を出すのはよくないから規制しようという議論が必ず出てきます。しかし、さきほども言ったとおり、現行法ではそういった規制は実質的にはかなりむずかしい。また現行法も多様な問題の調整と妥協の産物として、それなりに理由があっていまのかたちになっています。ゼロベースの議論は、少なくとも政策的にはほとんど意味がありません。

辻田　さきほどの論争に戻りますが、町山さんは広告の量的規制を主張していました。たとえばテレビで自民党のＣＭが出てくるのを一定以内に制限するというように、広告の配置時間を制限するイメージです。

西田　それはあまり現実的でないと思います。政治活動や選挙運動は、表現の自由のなかでも尊重されるべきものだという考え方もあるからです。また放送事業者にも営業や表現の自由があるはずです。くわえてネット選挙運動の自由度は相当程度高いものになっています。これらを総合して考えると、広告放送時間だけ制限してみたところで実質的にほとんど意味がないうえに、たんに自由を制限するだけにもなりかねません。民放連も、量的規制は各社が十分判断できることだからそれぞれの裁量の範囲でやってほしいし、特段の対策は必要ないと主張しています。ぼくもおおよそ同じ意見です。

辻田　前章でも触れましたが、憲法改正時の国民投票についても似たような懸念が議論されています。一般の選挙を規制するのが公職選挙法であるのに対して、憲法改正の手続きは国民投票法によって規制されています。公職選挙法では街宣車の数や選挙運動の期間を規制していますが、国民投票ではそうした量的な規制はありません。したがって後者についてもなにかしら規制がないとおかしい、という議論です。西田さんは憲法改正のための国民投票については、広報に関する規制があるていど必要だと前章でおっしゃっていました。両者のちがいについてはどうお考えですか。

西田　国民投票法が規定する憲法改正国民投票の投票運動に関しては、あるていどコントロールが必要だと思います。国民投票は、たとえば「九条の二項を削除するか否か」、「九六条の憲法改正の発議に必要な賛成議員数を二分の一にするか否か」など、争点がシンプルなものになることが予想できます。こうした明確な論点が設定されれば、資金の量と広報力の差がそのまま結果に直結してしまいかねないからです。一方「＃自民党２０１９」のような政党の通常の政治活動や広報は、論点も争点も多様です。したがって規制はそれほど必要ではないし、そうすべきでもないと考えています。

辻田　海外ではどのていど政治広報に関する規制を設けているのでしょうか。

西田　アメリカでは言論の自由がとても強く擁護されていて、選挙資金に関して若干の規制はあるものの、意見広告などを含めるなら、事実上はほぼ無規制と言っていいでしょう。ヨーロッパを見ると、イギリスはアメリカと同様ほぼ規制がありません。大陸側は比較的厳しく、とりわけフランスでは選挙結果に関する予想が禁止されていて、コマーシャルにも規制があります。

辻田　諸外国と比べて、日本の政治広報に関する制度に問題はないというわけですね。

西田　制度よりもむしろ、現実政治の知識や認識が市民にきわめて乏しいことが問題です。自由民主主義を機能させるためにどうすればいいか、設計的な目線が不足しています。そもそも日本はそれなりに自由民主主義が担保されている国です。一定の年齢に達するとだれでも政治参加できますし、納得いかないことがあれば自由に発言でき、異議申し立てのチャネルも十分に開かれている。表現の自由も、ヘイトスピーチ規制の弱さなど悪い面を含めて、先進国と比べてむしろ広く認められているとも言えそうです。現に野党が政権交代を起こしたこともあるわけで、資金力に劣る政党が政治権力を持つことができないわけではありません。にもかかわらず、自由民主主義的な社会を維持するための諸制度がどのような設計思想でつくられているかについては、ほとんどのひとが興味を持っていない。ここが気になります。

選挙についていえば、整合性がとれなくなっているのにほとんど問題にされていない法律もあります。具体的には公職選挙法と放送法です。公職選挙法は一九五〇年に、バラバラだった衆議院選挙法と参議院選挙法、地方自治法を統合してつくられました。以降も運用上の改正は行われていますが、根本的には変わっていません。そのため既存の選挙運動にはビラの大きさから枚数、拡声器の台数にまで制限がついている一方で、ネット選挙についての規制がほとんどありません。だからネットでは、公示日以降なら動画を使った選挙運動を展開してもいいことになります。一方で地上波放送は、放送法によって規制がされていて、選挙運動を行うことができません。つまり動画サイトでは選挙活動ができ、地上波ではできないという事態になっている。

しかしネット上の番組も大きな影響力を持っているいま、地上波と差をつける必然性はないはずです。

辻田 たしかに若いひとであれば、地上波の地方局より、ＡＢＥＭＡ ＴＶのニュース番組を見ているひとが多いかもしれません。ただ、そうした規定を再検討していくうえでも、自民党がいま圧倒的に多数の議席を持っている状況は前提にしなくてはいけないのではないでしょうか。町山さんの主張には、この状況では自民党のやり方を強い言葉で批判することが必要であり、それに水を差すのはおかしいという問題意識があるように見えました。

西田 繰り返しになりますが、気持ちとしてはわかります。しかし、その手の物言いは現実の制度を念頭に置くと、ほとんど意味がありません。自民党的なキャンペーンを忌避するのではなく、むしろきちんとデコードして読み解くことができる社会の素地が大切だと考えています。

野党はどうすれば勝てるのか

辻田 では西田さんが言うように、野党も「積極的かつ健全に競争すべき」だとして、野党が自民党に対抗しうるキャンペーンを行うにはどうすればよいと考えますか。

西田　野党が政策を固めることと、選挙について優秀なプランナーを見つけることです。ぼくは現代の政治を「イメージ政治」と呼んできました。自民党のキャンペーンを野党がけしからんと思うにしても、「われわれ野党はきちんと政策を打ち出し論争をします」という別のイメージを使ってキャンペーンを張り、対抗することはできたはずです。ぼくが言う「健全な競争」には、特定のイメージだけ訴えるのがはたして健全なのかと問うことも含まれています。政策を打ち出すという姿勢にはまだまだ効果があると思うので、野党にそのイメージを打ち出せるプランナーがいれば、だいぶちがう結果になるのではないでしょうか。

辻田　とはいえ、マスコミは政策論議に興味を示さないのではないでしょうか。

西田　たしかにマスコミで情報番組をつくっているひとたちは政策を勉強する時間がなく、オンエアで掘り下げないので、その点は変えていくべきです。ただそれとは別の問題として、野党はたとえば「老後資金二〇〇〇万円問題」[★17]について政策的に語るようなことをするべきでした。

辻田　しかし繰り返せば、そもそも自民党は野党に比べて圧倒的な資金力と

★17　二〇一九年六月に金融庁金融審議会の市場ワーキング・グループが公表した報告書「高齢社会における資産形成・管理」において、収入のほとんどを年金など社会保障給付に頼った高齢無職世帯（夫六五歳以上・妻六〇歳以上）の場合、その生活費が月あたり約五万円の赤字となることが指摘された。同報告書には、老後を三〇年とすると赤字分を補塡するために約二〇〇〇万円が必要となる旨が記載されていたことから、「年金だけでは生活をまかなえず、老後までに二〇〇〇万円の貯蓄が必要となる」というかたちで報道され、政府の公的年金制度の限界を示す数字として波紋を呼んだ。当時の金融担当大臣である麻生太郎がこの報告書について「正式なものとして受け取らない」と、事実上の撤回を求める発言をしたことで、批判が大きくなった。

権力があります。制度改革を措いたとしても、たとえば『ViVi』のキャンペーンは野党にはできない。自民党は講談社に四〇〇〇万円でやってもらえたけれど、野党ではそうはいかなかった。

西田　さきほども言ったとおり、あの規模の広告を講談社がほかの広告主にも同額で売っていたのかは気になります。広告業界では料金表の金額はあってないようなものですが、それでも規模に比べて、やや安すぎるのではないかという気はします。

辻田　政治広報における金の問題はいままであまり語られてきませんでした。しかしこれは健全に競争が行われているのか考えるうえで、重要なポイントです。

西田　日本の場合、九〇年代の選挙制度改革のなかで、政治資金の流れをオープンにしなければならないという潮流ができ、以前に比べればだいぶ透明化がされたと思います。おかげで選挙管理委員は領収書を国に届けるという最低限のルールを守るようになった。その一方で、二〇一八年の末に出た東大と朝日新聞の共同研究では、政党はいくつもの会社のあいだでお金を回し、どこに事業を委託しているかトレースしづらいようにしていることが明らかになっています。

とはいえ今回の場合、資金の問題だけではなく、野党の側にアイデアや決断力がないという別の問題があると思います。

辻田　資金面で劣る野党は政策論議を通じてイメージ政治を戦っていくべきだという話でしたが、実際の野党はイデオロギー闘争ばかりをやっているイメージがあります。

西田　そのとおりです。われわれの社会には、良くも悪くも「偏りフォビア」があると思います。立場の左右、あるいは自民党と立憲民主党という対立であっても、どちらかに極端にかたむくのはいやだという感覚です。若いひとほどそういう傾向にあるように見える。体感的に、そのなかでは思想的な議論を仕掛けていくことが有効だとは思えません。

辻田　わたしがいちばん懸念しているのは、どの思想にも偏りたくないという考えの結果として、消去法的に「やっぱり自民党しかない」という結論に至ることです。自民党のなかで石破茂さんや宏池会[★18]に期待する向きもありますが、彼らが抑止力になるかは疑問ですね。

西田　その点、同意です。現在の政治状況は「二〇一五年体制」とでも呼ぶべきなのではないでしょうか。第三次安倍内閣の発足以来、自民党政権はあまりにも盤石です。このような情勢はもうしばらく続くのではないかと考え

★18　宏池会は一九五七年に池田勇人によって結成された、自民党内で最も古い派閥。党内のハト派として知られ、多くの総理大臣・党総裁を輩出している。二〇一二年の自民党総裁選の際、宏池会の一員で当時の総裁だった谷垣禎一と、当時の会長だった古賀誠のあいだで確執が起こり分裂。その後岸田文雄が会長に就任したことから、二〇二〇年一一月現在は岸田派とも通称されている。

ています。

辻田　そう呼ぶべき体制があったとして、野党は政策論議を通じてこれを打ち破ることはできるのでしょうか。というかそもそも、野党に政策があった時代はあるのか（笑）。

西田　過去を振り返れば、野党が政策を積極的に打ち出した時代もありました。いまも打ち出していないわけではありませんが、まったく伝わってきません。具体的にどんな成長戦略を持っているのでしょうか。憲法については改正なのでしょうか、それとも護憲なのでしょうか。都度の政権批判も重要ですが、それに注力するあまり、彼ら自身の具体的な主張は驚くほど不透明です。野党は二〇〇九年の政権交代をはじめ、マニフェスト選挙によって政権交代が実現した歴史を思い出すべきです。もともと日本におけるマニフェスト選挙は、二〇〇〇年代前半に地方政治のなかで生まれたものです。当時の民主党にいた議員が、これは国政選挙でも使えるのではないかと言い始め、段々と広がっていきました。しかし残念なことに、民主党政権は自らそのマニフェストを手放して、信頼を損なってしまいました。

辻田　旧民主党は野党時代に、シャドウ・キャビネットをやっていました［★19］。しかし、いざ政権を取ったらそこで議論されていたことをまったく実

★19　日本語では「影の内閣」とも翻訳される。野党が政権を握った場合を想定し、野党内に架空の内閣を組織する慣行のこと。党の代表を「首相」、それぞれの政策分野を担当する議員を「大臣」として、与党との議論や、党の政策決定を担う。民主党は「次の内閣」という呼称でシャドウ・キャビネットを組織していた。

行しませんでした。あれは最悪です。マニフェストを信じて政治権力を信託したのに、このざまかと絶望しました。

西田　当時は「霞が関埋蔵金」という言葉もありました［★20］。あのころ、埋蔵金なんてないと指摘すること自体が批判されましたが、結局そんなお金はどこにもなかった。

辻田　ただそれでもわたしは、消去法的に自民党の長期政権が続いている状況は健全ではないと感じてしまいます。

西田　もうなくなった政党なので言ってもいいと思いますが、二〇一四年の選挙の公示日の前日に、当時の民主党執行部に呼ばれてアイデアを求められたことがあります。そこでぼくは「日本社会は情にほだされやすくて判官贔屓だから、民主党政権について謝罪をし、もう一度チャンスをくださいというメッセージを出すべきです」と言いました。自分たちが失敗してしまったプロセスを説明し、改善策を打ち出せば、また政権は戻ってくると考えていたのです。そうしたら遅れて酔っ払って現れた「二位じゃ駄目なんですか」という発言で有名な方から、たいへんなお叱りを受けました。

辻田　酔っ払って現れた（笑）。野党には自分たちのミスを反省してつぎのステージに進む姿勢が見えないというわけですね。

★20　日本政府の予算のうち、財政融資資金の運用・産業開発投資のための会計である財政投融資特別会計と、政府の行う外国為替などの取引のための会計である外国為替資金特別会計の積立金や剰余金のことを指す俗称。二〇〇七年ごろから使われるようになった。リーマンショックを受けて景気の悪化した二〇〇九年度の予算は、この「埋蔵金」の存在を組み込んで編成された。

西田 その点で、現在の政治状況においては、二〇〇九年の政権交代より、九〇年代の政変を参照するほうがおもしろいのではないかと考えています。

辻田 小沢一郎さんの離党をはじめとして自民党が割れて、細川護煕連立政権が誕生した時期ですね。

西田 いまの自民党も、同じように党が割れることがありえると考えています。これだけ長く安定した自民党政権が続くと、選挙区と党内のポストに空きがなくなってきます。そうなれば、重要なポストが回ってこないことに若手議員が不満を持つようになるはずですし、新しく国政に出馬することもむずかしくなるはずです。近年すでに自民党の伝統的な人事とは異なる流れが出てきているので、党が割れるタイミングはいずれやってくるような気もします。

辻田 自民党内が不安定な状況になれば、また野党にやらせてみようか、という流れもくるかもしれません。

最後に、実際のところ野党はどういった情報戦略をとっていて、どこに問題点があるか議論したいと思います。この章で話題にしたウェブでの広報については、野党では共産党が力を入れているように見えます。

西田 共産党の情報戦略はおもしろいと思います。広報をすべて自前でやる点が特徴です。共産党の宣伝部の方と話した際、広報は自分たちか、もしくは共産党系列の印刷会社がやっていると言っていました。この印刷会社とはなにかといえば、共産党員であることを理由に仕事を失うひとたちのために、自分たちで会社をつくって雇用を発生させているのです。

辻田　党自体が大きいから、内部に広報の専門性のあるひとがいて、自分たちで回せるのですね。共産党のツイッターを見ると、ハッシュタグをつけたり絵文字を使ったり、勝手のわかったひとが運営している印象を受けます。

西田　共産党の宣伝局長に田村一志さんという方がいます。いろいろ取材も受けているひとで、ぼくも幾度かお目にかかったことがありますが、とてもセンスがよく、候補者をＰＲする手法は彼が中心になって開発したそうです。

辻田　共産党以外の野党は、いろいろやってはいるものの、まったく目立つことができていません。あるていどのお金さえあれば、専門家を外から連れてくるくらいはできそうなものですが、なぜうまく行っていないのでしょうか。

西田　さしあたり原因は大きく三つあります。まずひとつめは、繰り返しで

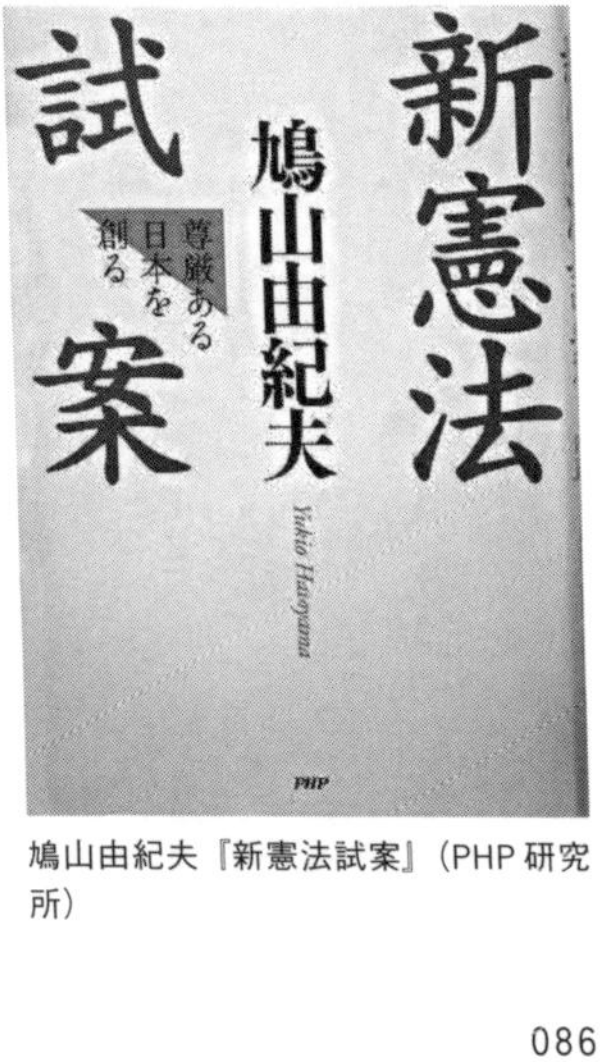

鳩山由紀夫『新憲法試案』（PHP研究所）

すが現在の野党にはっきりした政策がないことです。消費税ひとつを取っても、増税なり凍結なりの政策が決まっていれば宣伝の仕方も考えようがあります。しかしそれがまったく見えない。憲法の問題についても同様です。たとえば、立憲民主党はほんとうに護憲政党なのでしょうか。前身の民主党では、鳩山由紀夫元首相が「新憲法試案」という素案をつくったこともありますが［★21］、立憲はそのようなものを出していない。これはビジネスでたとえれば、商品がなんなのかよくわからないのに、マーケティングやPRをするようなものです。

辻田　党としての方針が定まらないから宣伝ができない。

西田　ふたつめは組織が分裂を繰り返してきた歴史の問題です。党内組織の連続性がなくなり、職員の方々が組織のルールやノウハウを蓄積できていない。旧民主党系の政党である立憲民主党と国民民主党を見ても、国民民主党は資金面を旧民主党から引き継ぐことができたものの、立憲民主党は完全にゼロからの立ち上げになってしまう。これに対して自民党の広報がうまく行くのは、職員にスキルやノウハウが蓄積されていることに理由があります。三つめもこれに関係しますが、自民党の場合、結党以来電通と軌を一にしていて、それだけいっしょに仕事をしてきた関係性の蓄積があります。その歴

★21　鳩山由紀夫『新憲法試案――尊厳ある日本を創る』、PHP研究所、二〇〇五年。前文には「自立と共生の精神に基づいた友愛の国づくりを目指す」、「全世界の人々と友情と智で結ばれた、尊厳ある国づくりを共に進める」とあり、鳩山がかねてより主張する友愛の思想が強調されている。草案には以下のような特徴がある。①天皇を「元首」と規定、②女性天皇の容認、③日本語の公用語規定、④名誉権・プライバシー権・自己情報コントロール権などの明記、⑤定住外国人への地方参政権の事実上の付与、⑥「自衛軍」の保持、⑦集団的安全保障活動への参加、⑧市および圏という地域自治体による地域主権の確立、⑨総選挙による内閣総理大臣の間接的な公選、⑩国会の一院制。

史はほかの政党にはありません。

辻田　だからこそ自民党や共産党のような歴史のある政党が目立つのですね。逆に未来のことを考えるときも、政策でもPRでも、一〇年、二〇年先を見据えてやるべきでしょうね。短期間で勝ちにいこうとしても、ひどいポピュリズムになることは目に見えています。

西田　野党は日本でネット選挙が解禁されたころのことを思い出すべきです。あのときに期待されていたのは、日本の選挙運動でもアメリカ型のキャンペーンができるようになるということでした。いまはまだ途上ですが、すこしずつアメリカ型のマーケティング手法が輸入されていくでしょう。たとえば、アメリカで流行しているSNSを用いたマイクロターゲティングの手法は、日本ではあまり活用されていない印象です。しかし今回の自民党のキャンペーンは、そうした手法がこれから増えていく兆しでもあります。野党はそれをプロパガンダとステロタイプな物言いで批判するだけではなく、冷静に分析して自分たちの戦略に取り入れる必要があります。そうすれば、いまとは政治広報のあり方も変わっていくのではないでしょうか。

辻田　歴史の教訓という決め台詞が使われすぎて、飽きられているのはひしひしと感じます。プロパガンダという言葉も同じかもしれず、情報戦略やP

Rと言い換えが必要な場面もあるでしょう。それは否定しません。とはいえ、歴史と比較するとき、いまだこの言葉が有効なのもたしかです。ここは柔軟にどちらも使えるようにしたほうがよさそうです。そうすると、今後の展望もよりよく捉えられるのではないでしょうか。

3

情報戦略、メディア、天皇

2019年10月28日

ネットに強い共産党

西田　前章では「#自民党2019」プロジェクトを中心に、自民党の情報戦略について語りました。本章では、おもに二〇一九年七月から一〇月ごろまでの出来事を振り返りながら、政治と広報について考えていきたいと思います。この間には七月の参議院選挙がありました。まずはこの選挙について、インターネットを使った野党の広報活動を見ていきましょう。

辻田　前章でも見たとおり、野党の広報活動はそれほど盛り上がりませんでした。たとえば国民民主党は、代表の玉木雄一郎さんがYouTubeのアカウントを開設して武将のコスプレをしたり、「こくみんうさぎ」というキャラクターをつくったりします［★1］。国民民主党のひとたちはなぜか手応えを感じていたようですが、あまり普及しませんでした。

またこれはプロパガンダではなく個人の取り組みですが、マンガ家の高橋

図1　こくみんうさぎ
国民民主党ウェブサイトより引用
URL=https://www.dpfp.or.jp

★1　国民民主党の玉木代表は同党のCM「私たちの答え」などで武将に扮している。URL=https://www.youtube.com/watch?v=WQkCgLK4ECA
　こくみんうさぎは国民民主党が二〇一九年に作成した党の公式キャラクター。ツイッターアカウントも作成されたが、二〇二〇年九月一一日に国民民主党が解党したことに伴い、更新が停止された。URL=https://twitter.com/kokuminusagi

和希さんがインスタグラムで安倍政権を批判する画像を投稿しています。代表作である『遊☆戯☆王』のキャラクターに「Let's VOTE」と投票を促すカードを持たせ、「独裁政権　未来は暗黒次元《ダークディメンション》」と言わせるイラストでした。個人的には微笑ましく思いましたが、こちらはマンガに政治を持ち込むなという趣旨で批判を受けました。

　そんななかで例外的に、共産党の動画を用いた広報はうまく行っていた印象です。まず先立つ三月に、TikTokに広報用のアカウントを作成したことが話題になります。

西田　TikTokは中国本国では、政治広告を規約で禁止しました。しかし日本では、今後も政治活動に使われていくのではないかと考えています。日本の公職選挙法では、TikTokのようなプラットフォームに投稿された動画は、選挙運動にあたるのか通常の政治活動にあたるのかの区別がつかない。その曖昧さを巧妙に利用する手法が増えていくのではないかと推測しています。

辻田　たしかに共産党は、その後YouTubeに動画広告を投稿しています。選挙が近づいた七月に、3Dモデルのキャラクターが踊る「WE　ARE　共産党！」、「YA！　YA！　YA！　野党共闘」、「選挙でWOW　WOW！」という動画を相次いで公開し、大きな反響を呼びました。わたしがラジオ番

図2 「YA! YA! YA! 野党共闘」の一場面
日本共産党 YouTube チャンネルより引用
URL=https://youtu.be/2quyUwjizHQ

組で共産党委員長の志位和夫さんに聞いた話では、これらの動画は完全に内製しているそうです。

西田　共産党のウェブ広報はほんとうにたいしたものです。コストをかけずにパフォーマンスを上げるといったときに、インターネットのことをよく理解し、そのポテンシャルを引き出しています。たとえば動画に登場する「雇用のヨーコ」というキャラクターは、二〇一三年にインターネット選挙運動が解禁された、その年につくられたものです。それ以来、ずっと手弁当でインターネット上の広報活動を続けているので、党内にスキルが蓄積するのも頷けます。

しかし選挙戦略に目を向けると、ぼくは共産党がこの選挙でも野党共闘を進めたことには強い違和感を持ちました。たしかに共産党は議席が少ないので、彼らからすれば、選挙に勝つうえでほかの野党と協力することは合理的です。しかし政策が明確に他党とちがっている以上、たとえ対立を生むとしても、きちんと意見を戦わせるべきだと思います。

辻田　しかしそれは間接的に、自民党一強体制を強化することになるという反論もありえると思います。

西田　短期的にはそうでしょうが、このまま中途半端な野党共闘をしたところで、自民党の一強はやはりすぐには変わらないでしょう。しかし長期的にはまえにも述べたように、野党共闘をせずとも、自然と自民党内の選挙区が現職でいっぱいになり、国政に出るには野党からとならざるをえなくなり、状況も変化すると思います。結局、共産党が野党共闘を唱えるのは、それが自分たちにとって利益があるからにすぎません。

辻田　たしかに今回、共産党や立憲民主党の野党共闘戦略は、前回の二〇一六年の参院選に比べて振るいませんでした。その一方で、れいわ新選組は独自の路線を取り、結成したばかりであったにもかかわらず二議席を獲得しています。またインターネット上ではれいわ新選組以上に、NHKから国民を守る党（N国党）が話題をさらっていった印象です。これら二党の戦略はどうお考えでしょう。

西田　インターネットを使って選挙制度をハックしていくという意味で、両党の手法は非常に似ています。しかし、れいわ新選組はN国党よりよほど真剣な政党です。れいわ新選組の山本太郎さんは、二〇一〇年代からムーブメントを起こす方法論を模索していたように見えます。彼は最初、ミュージシャンの三宅洋平さんなどと組んで「選挙フェス」のような活動をし［★2］、運動をつくることに苦心してきました。二〇一三年の参院選では、東京選挙

★2　選挙フェスは、二〇一三年および二〇一六年の参院選でレゲエミュージシャンである三宅が行なった選挙活動。繁華街の駅前にステージを設置し音楽を用いて聴衆を動員すること、参加者がその模様をSNSや動画サイトにアップし拡散を行うことを特徴とする。山本もこれに参加した。従来と異なる新しいアプローチでの選挙運動として注目を集めた。

区で山本さん、比例代表（緑の党推薦）で三宅さんがそれぞれ出馬しています。三宅さんにはゲンロンに来ていただいたこともありますね［★3］。これはいまのれいわ新選組の方法にも引き継がれています。当時、山本さんは当選しましたが、三宅さんは落選した。だから今回の選挙ではその教訓を活かし、知名度の高い山本さんがみずから比例の側に回り、「特定枠」を使うことで候補者ふたりを当選させたわけです［★4］。一〇年かけてノウハウを蓄積し、それが今回の選挙運動に結実しているわけですから、必ずしも政策を支持するものではありませんが、N国党とは比べるのが失礼なほど真剣に政治に向き合っていると思います。

辻田　れいわ新選組の運動は、地域性があるところがおもしろいと感じます。彼らが使ったピンク色のポスターは、中央線沿線でばかり見かけました。

西田　れいわ新選組のイメージは、かなり自覚的に演出されたもののようです。山本さんはインタビューで、自分たちが主張する反緊縮や消費税撤廃といった政策は、極端なものであるとすらみずから認めていました。れいわ新選組はあえて偏った政策を提案することで、野党全体で見たときに、ある種の妥協点に到達することを狙っていると話していました。

辻田　彼らが主張する経済理論についてはいかがでしょう。国債をどんどん

★3　西田と三宅はゲンロンカフェで以下の対談を行なっている。西田亮介＋三宅洋平「安倍政権は止まるのか——ウェブとデモで【これから】【本当に】政治を変えるには」、二〇一四年九月二四日。URL=https://genron-cafe.jp/event/20140924/

★4　参院選の比例代表制度では、各政党が獲得した議席数を個人得票数の多かった候補者が順に埋めていく、非拘束名簿式が取られている。この例外として二〇一九年の参院選から、政党が申請した「優先的に当選人となるべき候補者」を個人得票数に関係なく当選させる、いわゆる「特定枠制度」が導入された。山本が代表を務めるれいわ新選組はこの制度を用い、舩後靖彦候補を一位、木村英子候補を二位、山本を三位に指定。れいわ新選組の獲得議席は二議席だったため、舩後、木村両候補が当選し、山本は落選する結果になった。

発行していけば、消費税をはじめとした税金は減らしても大丈夫だと唱えています。

西田　「現代貨幣理論　Modern Monetary Theory」（ＭＭＴ）と呼ばれる理論ですね。あれは極端な議論だとは思いますが、ぼくはリフレ派や上げ潮派に共感しているところがあるので、まったく理解できないわけではありません［★5］。願望的な見方ですが、リフレ的な政策観は経済成長を重要視するので、生活者の懐が痛みにくい。ただ重要なのは経済政策そのものではなく、それによって時間を稼いでいるあいだに適切な規制改革を進め、イノベーションが起こりうる下地をつくることだと考えています。アベノミクスはもともとそういう方向性だったはずですが、実際には森友・加計をはじめとしたさまざまな問題が噴出しうまく行きませんでしたし、最近では本気で規制改革をやるつもりがあるのかすらわからなくなりました。アベノミクスの中身は紆余曲折の挙げ句、最終的にはソサエティ５・０的なＡＩやデータの活用になってしまいました［★6］。

★5　リフレ派、上げ潮派はいずれも、国家の財政と市場の経済の関係において、金融緩和によって通貨供給量を増やすことで物価を上昇させ、経済を上向かせることで税収を増やして財政を立て直す立場。ＭＭＴも通貨供給量を増やす点ではこれらと共通するが、貨幣そのものの発行量を増加させる点で大きく異なる。

★6　ソサエティ5・0は内閣府のウェブサイト(URL=https://www8.cao.go.jp/cstp/society5_0/)によれば、「狩猟社会（Society 1.0）、農耕社会（Society 2.0）、工業社会（Society 3.0）、情報社会（Society 4.0）に続く、新たな社会を指す」言葉で、政府の目標とする未来社会の像として提唱された。安倍首相が辞任をした二〇二〇年九月時点で、この言葉は「アベノミクス」が目指す成長戦略の中に組み込まれている。「アベノミクス　成長戦略で明るい日本に！」、『首相官邸』。URL=https://www.

NHKは「ぶっ壊す」べきか

辻田　N国党はれいわ新選組と比べて真剣ではないという話でした。とはいえ、今回の選挙で大きな話題を集め、議席獲得までいたったという点で、無視することはできません。日本でポピュリズム政党がこれほど短期間に一気に伸びたのはめずらしいのではないでしょうか。

西田　常識的に考えて、党首の立花孝志さんに政治家の資質はありません。政策集を見ても、外交については「特にない」とあります。こういう政党に議席を与えるべきとは思えません。

辻田　一方インターネット上では、堀江貴文さんをはじめ、N国党を高く評価するひとも現れました［★7］。評価の理由は政策そのものというより、インターネットでのプロモーションのうまさであったり、比例区で票を集める手法であったりと、まさに情報戦略に着目したものが多い印象です。

西田　たしかにプロモーションは巧みです。れいわ新選組と同様に、比例区のある種の盲点をうまく突いていると思います。しかし、彼らは党名にしているNHK改革に限定しても、「ぶっ壊す」と言うばかりで、改革の方向性

kantei.go.jp/jp/headline/seicho_senryaku2013.html

★7　堀江は西村博之との対談で、TOKYO MXを提訴するなどの立花の言動を「戦略的にやってる」と肯定的に評価した（「帰ってきた！　なんかヘンだよね」、『週プレNEWS』、二〇一九年九月一四日 URL=https://wpb.shueisha.co.jp/news/politics/2019/09/14/109745/）。その後も自身のYouTubeチャンネルなどで立花を評価する発言を行なっている。他方で、立花が二〇二〇年の東京都知事選挙で、堀江の愛称を冠した「ホリエモン新党」を立ち上げ、堀江の顔写真を選挙広報に使用した際には、同党に自身は関わっていないと表明している。

を示しているわけではありません。

辻田　立花さんのYouTubeを見てみると、彼の言う「NHKをぶっ壊す」の内実は要するに、スクランブル化（契約の任意化）を実現したいということのようです。スクランブル化すれば、NHKの料金を払わないひとが増えていく。NHKの予算総額はいまのところ一定なので、払わないひとが増えると、ひとりあたりの支払額がどんどん増大していく。結果としてだれも料金を払わなくなり、NHKは崩壊するのだ、というロジックです。どうもその背後には、NHKが民放大手のおよそ二倍にあたる約六五〇〇億円の収入を得ていることについての問題意識があるようです。N国党を擁護したいわけではないですが、たしかにイギリスのBBCのような他国の国営放送と比較しても明らかに多い額です。

西田　とはいえ、いわゆる放送の番組編集準則［★8］に則って良質な番組を提供する放送局という観点でも、良質な一次情報の提供者や地域情報の担い手として、そして視聴率からあるていど自由にコンテンツをつくれる存在として、NHKは重要です。民放とともに二元体制を担うとされていますが、規模、予算、地域展開などやはり群を抜いています。NHKは近年では「公共メディア」と名乗っていますが、新しいイシューに取り組み、BBCのよ

★8　番組編集準則は、放送法第四条第一項に定められた、放送事業者が放送番組を編集する際に守るべき規定。以下の四号からなる。
一　公安及び善良な風俗を害しないこと。
二　政治的に公平であること。
三　報道は事実をまげないですること。
四　意見が対立している問題については、できるだけ多くの角度から論点を明らかにすること。

うな立ち位置になるべきだと思います。ＢＢＣは最近では暗号化されたブラウザでのみ見られるサイトを開設するなど、先進的な取り組みを進めています。これは検閲のある国からでも情報にアクセスできるようにするためです。また日本語サイトも用意するまでになっています。すごいですよね。

そのような取り組み以前に、いま日本の民放には、良質な番組づくりができる体力すらなくなってきています。今回の選挙報道にしても、おそらく金銭的な問題で、枠ごと消えてしまった選挙特番が民放にはありました。ぼくはドワンゴの選挙前特番に出演しましたが、司会者が電話出演した安倍首相をヨイショして野党をこきおろすばかりで、党首に質問をする時間すら用意されていませんでした。ネット番組には放送法が適用されないとはいえ、それなりの存在感を持つようになったメディアの、公的な問題を扱う番組のあり方としては疑問が残ります。日本において通信と放送の融合法制は二〇年前中途半端に決着しましたが、いまこそ通信放送を横断して選挙運動規制のあり方を再考すべきです。

辻田　ラジオの選挙後特番にいたっては、安倍首相への質問は代表社が一括してやるかたちになっていました［★9］。以前荻上チキさんが安倍首相に対して厳しい質問を重ねて、首相が怒ってしまったことの影響でしょう。しか

★9　荻上が進行を務めた「JRN開票特別番組『参議院選挙2019〜有権者が選んだ未来は』」では、今回の代表社制が二〇一六年の参院選の例を踏襲するものである一方、経緯について自民党側から納得のいく説明はなかったと語られていた。

もＴＢＳが寄せた質問は削られていたようです。完全な忖度ですね。ほかの政党は、代表が出演して質問に答えてくれたにもかかわらずです。自民党で各社に応答したのは、甘利明さんでした。

西田　最近ではＮＨＫにも、政治的にむずかしい案件に対してかなりプレッシャーがかかるという話も耳にします。ただ、それでもＮＨＫは民放と比べて遊軍的に動ける記者やディレクターの数が多く、明らかに余力があるわけです。ＮＨＫは取材方法が割とＮＨＫ都合で、それは問題なのですが、ある種の余裕の表れと取ることもできる。支社の数や張り付けている記者の数も民放とは比べ物になりません。よく受信料とNetflixの料金を比較する声がありますが、買い付けたコンテンツをローカライズして、全世界で売上をあげ、報道はやらないNetflixのビジネスモデルとの比較は不適切でしょう。

辻田　特殊な地位にあるがゆえの問題も込みで、それでもＮＨＫはあったほうがいいということですね。

西田　民放の番組づくりを見ていると「ぶっ壊す」べきではないと思います。

Ｎ国党に話を戻せば、七月の参院選よりもむしろ、一〇月に行われ立花さんが出馬した埼玉県補欠選挙が興味深いです［★10］。この選挙でＮ国党は、一五万票を得つつも議席獲得にはいたりませんでした。つまりポピュリズム

★10　大野元裕参議院議員が埼玉県知事選出馬のため議員を辞職したことに伴う、埼玉県選挙区の補欠選挙。前埼玉県知事の上田清司と立花が立候補をした。立花はこの選挙に出馬するために参議院議員を失職し、Ｎ国党の比例名簿で次点だった浜田聡が繰り上げ当選。立花は自身が補選に当選することで議席数を増やすことが目的だと公言していた。結果は上田が八〇パーセントを超える得票率で当選。投票率は二〇・八一パーセントにとどまった。

政党がインターネットを使ったプロモーションを行なったからといって、必ずしも市民の投票意欲をかき立てるわけではないという結果が出たんです。もし、おもしろ半分で立花さんを支持するひとが大量に現れたり、それによって投票率が有意に高まったりしたら、絶望的な状況だったと思います。皮肉なことに、この結果からは旧態依然とした日本の公職選挙法が持つ、防御壁のような機能が見えてきます。ネットを除くと日本の選挙運動では公職選挙法に直接に書かれた手法以外使うことができません。インターネットは自由度が高いとはいえ、電子メールは不可など限定的にしか使えないことによって、結果的にN国党のようなポピュリズム政党の増進が防がれているわけです。英米圏のようなほとんど制限のない選挙運動では、結果はちがったかもしれません。どちらがよいかは必ずしも自明ではないでしょう。

辻田　それではN国党はたいしたことはないという見解でしょうか。

西田　いえ、そういうわけではありません。海外を見ても、ポピュリズム政党はさまざまな登場のしかたをするものですから、警戒はするべきでしょう。

辻田　海外の事例も含め、ポピュリズム政党の躍進という現象そのものについては、西田さんはどのように考えていますか。

西田　ポピュリズム政党がつねに悪だと考えているわけではありません。最近の政治学では、ポピュリズム政党がそれまで汲み上げられてこなかった人々の民意を背負って政界に現れ、新しい風を吹き入れているという指摘も多くあります。これはあるていど正しいと思います。ただしぼく自身の見解としてはやはり、ドイツやイギリスを見るかぎり、ポピュリズム政党によってこれまでの規範が揺らいでしまい、不安定な政治状況を生むというマイナス面のほうが大きいと考えています。N国党はそれ以前の問題ですが。

あいちトリエンナーレを振り返る

西田　七月に行われた参院選ですが、一〇月の現時点で人々に忘れ去られてしまっています。八月になるとメディアの話題があいちトリエンナーレ（以下「あいトリ」）に急速に取って替わられたからです。なかでも企画展《表現の不自由展・その後》と、そこに出展された大浦信行さんの映像作品《遠近を抱えて　PartⅡ》は、昭和天皇の写真を焼いたとして問題になりました［★11］。

辻田　大浦さんの作品はなかなか文脈が複雑です。《遠近を抱えて　PartⅡ》のまえには、ニューヨーク滞在中につくられた《遠近を抱えて》という

★11　《表現の不自由展・その後》は、あいちトリエンナーレ2019で行われた企画。公立の美術館で検閲を受けた作品を集めた二〇一五年の展覧会「表現の不自由展」を、二〇一九年現在の状況を加味して再展示するというコンセプトで、その全体が「表現の不自由展・その後」実行委員会による出品作となっていた。展示作のひとつである大浦信行の映像作品《遠近を抱えて　PartⅡ》には、昭和天皇の写真を使用して制作したコラージュ作品が焼却されるシーンが含まれていた。

連作一四点の版画作品があります。そしてこれも、一九八六年に富山県立近代美術館で展示されたとき、引用された昭和天皇の写真をめぐって政治家や右翼から批判されて問題になっているんです。その結果、美術館は同作を売却したうえ、図録を焼却しました。今回の映像作品は、明らかにそれを踏まえています。

さらにもとの版画作品は、大浦さんの自画像でもあるんですね。日本の現代美術家が、海外で自分を見つめ直したとき、そこに昭和天皇がいた……。そう考えると、たしかに単純な天皇批判の作品ではないのでしょう。実際、大浦さんは、見《み》沢《さわ》知《ち》廉《れん》や靖国神社をテーマにした映画も撮影しています[★12]。

とはいえ、《遠近を抱えて　PartⅡ》は今回、「御真影を焼いた＝天皇を否定した＝反日」というきわめてわかりやすい図式でのみ語られ、炎上してしまいました。

西田　その流れのなかで、あいトリに抗議や脅迫が届くようになり、芸術監督の津田大介さんや大村秀章愛知県知事が、《表現の不自由展・その後》の展示中止を決断しました。これがまさに表現の自由に対する抑圧にあたるということで、国内外のあいトリ出展作家たちが抗議として、展示を取り下げ

★12　見沢知廉は一九五九年生まれ、二〇〇五年没の活動家、作家。三里塚闘争に参加するが、のち右翼に転向。同志を殺害し逮捕、投獄された。釈放後、獄中で執筆した小説『天皇ごっこ』（一九九五年）を発表しデビュー。大浦は二〇一一年に見沢についてのドキュメンタリー映画『天皇ごっこ——見沢知廉・たった一人の革命』を監督している。その後二〇一四年には、靖国神社を取り上げた映画『靖国・地霊・天皇』を制作した。

たり内容を変更したりする事態に発展します。

辻田　海外の作家がボイコットをしたのは、日本の文脈を知らなかったからだと思います。日本で暮らしているひとは、津田さんや大村知事が展示を中止した背景には、さまざまな圧力や止むに止まれぬ事情があったのだと考えます。しかし海外では、ふたりともたんなる検閲主体です。表面的に見れば、実際に中止の指示をしたのは大村さんであり、津田さんはそれを止められなかった。それは海外の作家からするとありえない事態です。露骨に介入するのではない権力のあり方は、日本的、あるいは東アジア的なものなのかもしれません。

西田　その権力は日本的だと言えるかもしれませんが、中国のように強権的な国もある以上、東アジア的かと言われるとむずかしい印象です。それに当然、日本は戦後、西側陣営の自由主義の国として発展してきたという歴史があります。文化行政も表現の自由を擁護してきた。ぼくは戦後日本の自由主義はそれなりに成熟してきたと考えていたのですが、しかし今回は文化庁がはっきりと介入し、予定されていた補助金の交付を取りやめました（のち減額し公付）。

辻田　たしかに文化庁が介入し始めてからは、菅義偉官房長官をはじめ、政府の強権さがあらわになりました。抑圧的な文化庁や安倍政権に、日本のアーティストも海外のアーティストも一丸となって抵抗するという、単純な構図になっていきます。

西田 この補助金の拠出もととして見込まれていた文化庁の財源が、「2019年度『日本博を契機とする文化資源コンテンツ創成事業文化資源活用推進事業』」という名称だったことも、政治と情報戦略という観点からは興味深いですね。その名のとおり「日本博」に関連した予算です。

辻田 日本博は東京オリンピックに関連して企画された文化発信のためのイベントです。二〇一五年から開催されている「『日本の美』総合プロジェクト懇談会」という会議から生まれました。この会議には安倍首相も毎回出席していましたが、むしろ会議の座長を務めた俳優の津川雅彦さんの影響が大きい。彼が「日本の美は縄文時代から始まった」という根拠のない主張を繰り返した結果、日本博は「縄文から現代まで続く『日本の美』」というテーマを掲げているんです。そこでは仏像や浮世絵、美術、漆器・陶器・磁器といった工芸、着物、盆栽、さらにはクールジャパンまで、すべてが縄文土器や縄文的なアニミズム由来のものだということになっています。津川さんは会議冒頭の発言で「願わくば花の下にて春死なん、その如月の望月のころ」

と西行の歌を読み上げたり、皇祖神・天照大神の孫である瓊瓊杵尊《ニニギノミコト》が地上に降り立つ「天孫降臨」という神話をアニメ化すれば『西遊記』のような世界的なコンテンツになると主張したりと、エキセントリックな言動が公文書に残っています。天孫降臨のアニメ化はさすがにほかの出席者に批判されて消えてしまいますが、日本博は生き延びたわけです。

西田　もともとが国威発揚を促す企画のための予算だったからこそ、あいトリのなかでも《表現の不自由展・その後》が文化庁から目をつけられることになったのでしょう。展示が行われた愛知県でも、大村知事と河村たかし名古屋市長が同展をめぐって真っ二つに対立するかたちになりました。《表現の不自由展・その後》はあいトリ閉幕間際に部分的に再開されますが、その際には河村市長が反対の座り込みをするというパフォーマンスも行われます。もともと大村知事も河村市長も保守派で、近い立場だったはずなので、この対立は印象的でした。

辻田　首長ふたりがまったくちがう意見というのは興味深いです。愛知県自体、必ずしもリベラルな土地柄ではない一方で、左寄りの中日新聞が力を持っていたり、労働組合が強かったりする面もあるアンビバレントなエリアです。

西田　愛知・名古屋圏は、いまでも人口が増えている数少ない地域でもあります。今回のようにネットを中心に起こった出来事が、つぎの首長選にどのように影響するかは気になるところです。これで落とされてしまったら、首長は今後あいトリのようなことはできなくなるのではないでしょうか［★13］。

辻田　大村知事の任期は二〇二三年までです。つぎの選挙で彼が通るかどうかは、注目するべきですね。

　ちなみに、わたしはあいトリを実際に見に行きました。《表現の不自由展・その後》は抽選に外れて見られませんでしたが、それはあくまで一部に過ぎません。全体では、興味深い作品も多かったと思います。とくに印象に残ったのは、シンガポール出身の作家、ホー・ツーニェンの《旅館アポリア》。豊田市にある元旅館の喜楽亭を活用した、めずらしい映像作品です。わたしも資料提供ですこし協力しています。

　戦前、豊田市（当時は挙母《ころも》町《ちょう》）の生糸産業が非常に発達していたため、その関係者が喜楽亭を使っていました。しかし戦中には、近くに海軍の飛行場があったために、草薙隊という神風特別攻撃隊の隊員たちが出撃前に利用、そ

図3　ホー・ツーニェン《旅館アポリア》
写真提供＝あいちトリエンナーレ実行委員会事務局
Photo: Hiroshi Tanigawa

★13　二〇二〇年六月に、あいちトリエンナーレが二〇二二年から組織体制を一新し、「新・国際芸術祭」（仮称）に改称し継続することが発表された。あいちトリエンナーレとしての開催は二〇一九年が最後となった。

して戦後、今度はトヨタの社員が使ったといいます。ホー・ツーニェンの作品は、こうした複雑な喜楽亭の歴史を踏まえています。映像が大音量とともに上映され、音の振動で喜楽亭の古い建物自体が揺れることで、画面で話題になっている戦中の喜楽亭と自分たちのいる建物が同じだと感覚的に認識させる仕掛けはじつに巧みでした。これは、ホワイトキューブでは得られない体験です。津田さんも、この作品がいちばん人気だと言っていました。

西田　そういう土地に根差した作品があると、実際にその場所に足を運びたくなりますね。いまの国際芸術祭は地域振興と絡んでいますから、地域性とつながる作品は歓迎されるでしょう。

辻田　あいトリの場合、名古屋市と豊田市に点在するすべての展示を見ようとすると、二日は滞在することになります。そのあいだ地域にお金も落ちるので、国際芸術祭自体はいい取り組みだと思います。

ステマと保守論壇

辻田　一〇月にあいトリが閉幕すると、メディアの話題も平常運転になっていきます。情報戦略との関連でいえば、京都市が吉本興業の芸人に一ツイートあたり五〇万円を支払って自治体の取り組みをツイートしてもらっていたと報道され、いわゆるステルス・マーケティング（ステマ）にあたると問題になりました。お金を使って広報する場合、きちんとPR表記をしないといけないはずが、当該の芸人のツイートにはそれがありませんでした。

西田　二〇一〇年代のはじめにステマの問題が広く認知されるようになったあと［★14］、広告業界が、PR投稿にはそれとわかるように明記する自主規制を行うようになりました。政府が規制を強めて圧力をかける状態にならないためにも、業界側が自主的な規制で消費者の利益を守りつつ、公正なビジネスを行う規範は大切です。

辻田　京都市は自治体であるにもかかわらず、その流れを乱すようなことをしてしまった。

西田　ただし京都市にも同情しうる面はあります。前提として、これまでの自治体の広報活動は住民に届いていません。紙の広報誌はだれも読んでいないし、SNSもリンクとタイトルを書き込むだけなのでフォローされない。だからこの一〇年ほど、自治体は議会からも市民からも、広報をしっかりするようプレッシャーをかけられているんです。対応として自治体は広告代理店に研修をしてもらうことになりますが、ふだん政府の広報に携わるような

★14　二〇一二年、入札に手数料が必要な「ペニーオークション」方式のオークションサイトが、ボットを使った自動入札によって参加者には落札ができないよう不正を行い、手数料をだまし取っていたことが明らかになった。これによって、複数の芸能人がブログなどに投稿していた「ペニオクサイトで商品を安く手に入れた」という趣旨の記事が虚偽のものだと発覚。それらの芸能人が広告謝礼を受け取っていたことが問題になり、「ステマ」という言葉が広まるきっかけとなった。

大手を招ける自治体はわずかです。その結果、大半の自治体は地元の事業者から、民間企業向けの営利目的の広報と同じ研修を受けることになり、自治体特有の公益性や非営利性という大前提が抜け落ちるわけです。ぼくも自治体の広報の仕事をするようになって随分経ちますし、一時は非常勤公務員としても関わっていましたが、代理店から自治体への売り込みも少なくありません。

今回のステマ騒動も「これからの時代はSNSマーケティングで、SNSといえば吉本芸人が強い」と唆されたのではないでしょうか。しかし、吉本興業は最近の闇営業問題で明らかになったように、ほとんどコンプライアンスが機能していない会社です[★15]。同社は近年、教育や町づくりといった公益性の高い領域に進出していますが、基本的なガバナンスの仕組みもない。ぼくは自治体よりも吉本側の問題のほうが大きいと考えます。

辻田　しかし、京都市は大きい自治体です。広告代理店や吉本に言われるがまま、提案を受け入れてしまうものでしょうか。広報記事にはPRと書かなくてはいけないというだけのことですから、広告業界の慣習をルール化してしまえば済む話ではないかと思います。

西田　首長の意向があれば、地方自治体の場合、ルール化が一気に進むこと

★15　二〇一九年六月、吉本興業所属のお笑い芸人だった入江慎也が、所属事務所を通さずに振り込め詐欺グループへの営業を行ういわゆる「闇営業」を仲介し、吉本興業に解雇されたと報じられた。同じく吉本興業所属の宮迫博之、田村亮ら複数の芸人が闇営業に参加していたことも判明し、大きな波紋を呼んだ。さらに吉本興業から契約解消をされた宮迫と田村が記者会見を行い、契約が解消されるまで事務所から会見の開催が許可されなかったことが発覚。これを受けて開かれた岡本昭彦社長の記者会見の稚拙さや、芸人への処分が二転三転したことなどから、吉本興業の企業としての姿勢が疑問視された。

はよくあります。しかしぼく自身が感じるのは、自治体職員一人ひとりが専門性を持ちづらいという問題です。仕事が多岐にわたり、基本的にルーティンワークなうえ、数年で担当が変わります。そうなると、新しい担当はルールをつくるどころか、引き継ぎの書類を見ながら業者の言うがままに業務を進めざるをえないことになってしまう。構造的な問題でもあります。

辻田　なるほど。一方民間企業でも、同じ一〇月に、新潮社から出版された百田尚樹さんの新刊『夏の騎士』のPRをめぐり炎上が起きました。ツイッターで百田さんをヨイショする感想を書くと、抽選で百田さんの図書カードがもらえるというキャンペーンです。広告に使用された金ピカの百田さんのインパクトも手伝い、大きな話題となったものの、結果的に激しく批判され二日で終了してしまいます。まあ、これは冗談みたいなものですが……。

それにしてもこの企画を攻撃したひとたちは、『新潮45』の小川榮太郎さんの記事が問題になったとき、新潮社のなかでも文芸部は別物なんだと擁護していたはずです[★16]。しかし、当時から文芸部は百田さんの本を出していました。そのとき百田さんに言及するひとはほとんどいなかったのだから、ツイッターの反応は単純だと感じざるをえません。

なお百田さんをめぐっては、保守論壇内でもさまざまな出来事が起きてい

★16　杉田水脈議員が『新潮45』二〇一八年八月号にLGBTへの差別的な内容の寄稿をして批判を浴びたことを受けて、同誌の同年一〇月号では「そんなにおかしいか『杉田水脈』論文」という特集が組まれた。そこに掲載された評論家の小川榮太郎による寄稿「政治は『生きづらさ』という主観を救えない」は、LGBTを「性的嗜好」と同一視しさらなる批判を招いた。小川のこの文章をめぐって、『新潮』が同年一一月号に高橋源一郎による「『文藝評論家』小川榮太郎氏の全著作を読んでおれは泣いた」を緊急掲載する、同社の文芸書編集部のツイッターアカウントが『新潮45』への批判を数多くリツイートするなど、社内からの反発と取れる動きが相次ぎ、多くの出版人が賛同した。

ます。そのひとつは杉田水脈議員が元官僚の八幡和郎さんを自民党内の勉強会に招いたことについて、百田さんが非常に怒ったという事件です。

西田　八幡さんは歴史作家でもあります。歴史学者の呉座勇一さんとのあいだでもトラブルを起こしていましたね。

辻田　そもそも八幡さんと百田さんのあいだには、二〇一九年三月に八幡さんが出した『「日本国紀」は世紀の名著かトンデモ本か』という本のデザインが『日本国記』に似ていたことをめぐり、百田さんが激怒するという出来事がありました。にもかかわらず今回、杉田議員が八幡さんを招いた。これが、百田さんの怒りを買ってしまったようです。

西田　百田さんを怒らせることは保守論壇のなかで大きい出来事のようですが、そのヒエラルキーはどのように決まっているのでしょう。保守系は論壇賞がたくさんあるわけでもないので、受賞歴で決まるとも思えません。外部からすると評価困難で、ほぼ意味不明です。

辻田　断定はむずかしいですが、少なくとも受賞歴ではなく、本の売上や講演料の相場、有力な政治家との近しさ、そしてツイッターでの影響力などではないでしょうか。本の売上については、ベストセラーを連発する百田さんは圧倒的です。講演会の金額についても、わたしの聞くところでは百田さんは櫻井よしこさんなどと同じ最上位のランクだそうです。とはいえ、百田さんほど大きな影響力はないですが、杉田議員にも多くの支持者がいます。たとえば「テキサス親父」ことトニー・マラーノさんもそのひとり。彼はテキサス州在住のアメリカ人で、韓国を批判し日本を褒めまくる動画や著作を発表している人物です。彼の仲介をする「テキサス親父日本事務局」というアカウントは、YouTubeの登録者で六万人、ツイッターで一万人弱のフォロワーがいます。

西田　ぼくのタイムラインにまったくそのひとたちは出てきませんね。「だれ、それ？」といったかんじで、SNS世界の分断を感じます（笑）。

辻田　マンガ家のはすみとしこさんも、この件では杉田議員の支持者です。そのため、テキサス親父とはすみさんは、杉田議員を擁護する立場から百田さんと揉め事になりました。このように保守論壇も一枚岩ではなく、すぐに内輪揉めを起こすのです。だからあいトリのようにわかりやすい共通の敵をつねに求めています。

西田　ぼくは保守論壇内での人間関係を追うのもやっとですが、彼らが「真の保守」をめぐり争っているのはふしぎに思っています。最近では古谷経衡さんも「真の保守」をうたっていました。言っていることはリベラルにしか思えないのですが、彼はほんとうに保守なのでしょうか。あるいは立憲民主党のなかにも保守を名乗るひとがいますね。保守の立ち位置が人気なのでしょうか。

辻田　それだけ偽保守というか、愛国ビジネスが多いということなのでしょう。古谷さんも、いまはリベラル寄りですね。古谷さんはもともとチャンネル桜からデビューしていて、けっこう右翼的な言動のひとでした［★17］。鈴木邦男さんみたいな感じと言えばいいでしょうか。いまのほうがいいことを言っているので、愛国業界を脱してよかったと思います。

西田　しかしチャンネル桜も、右派論客が真の保守の座をめぐり戦っている現場という印象ではありません。ぼくも一度、冒険として出演したことがありますが、ひとしきり言いたいことを話したのにだれも議論に乗ってこず、あまりに退屈なので残り時間はずっと黙っていました。どうも保守論壇では、最近は知識や理論で武装して、討論して相手を論破するという形式は流行していないようです。経済系の討論番組でも共感しあうコミュニケーションが求められていて、番組のハッシュタグを見ても内容や出演者をヨイショする反応ばかりです。ほんとうに退屈でした。いったい、どこがおもしろいのでしょうか。ぼくなどはアンソニー・ギデンズの古典的な「革新的な保守」と

★17　チャンネル桜は、「日本の伝統文化の復興と保持を目指し日本人本来の『心』を取り戻すべく設立された日本最初の歴史文化衛星放送局」をうたう、保守的な思想の番組で知られる放送局。かつては衛生放送を行なっていたが、現在はウェブでのみ番組を配信している。古谷は二〇一〇年から、同局の配信する番組「さくらじ」のパーソナリティーを務めていた。

「保守的な革新」の対峙による問題解決の機能不全という見立てを想起してしまいます。

辻田　内輪の共感に閉じ籠もっているのは、ネット左翼も同じです。彼らは右翼や保守は全部だめで、「真の保守」などと称してそういうものに理解を示すのは、どっちもどっち論であり、冷笑主義だというのです。とはいえ、これではコミュニケーションが成立しなくなってしまいます。右翼や保守のなかでも、たとえば西部邁さんの門下のように、みずからのクオリティーを高めるために努力しているひとはいるはずで、リベラル派もそことは積極的に交流していくべきだと思います。そうでなければ、仲間内で盛り上がっているだけの右翼番組と変わらなくなってしまいます。

じつは伝統的ではなかった即位礼

辻田　ここまでSNS上のゴシップ的な事件が話題の中心になりました。しかし政治と文化の関係を論じるうえで、一〇月二二日に行われた即位礼正殿の儀は決して外せません。わたしはYouTubeでこの儀式をずっと見ていましたが、いささか寂しい画でした。本来なら中世風の衣装のひとたちが並ぶはずだった皇居宮殿前の庭が、台風のせいでがらんどうになってしまいました。

西田　その天気にもかかわらず、儀式の始まりには晴れ間が見えて虹がかかったことも話題になりました。それだけのことがトップニュースになっていて、正直どうかと思います。よほどニュースがなかったのか……。

辻田　百田さんは「日本人の多くが天照大神の存在を見た」とツイートしていました。一方で、台風によって万歳幡《ばんざいばん》が落下したという不吉なこともあったのですが、こちらはほとんど報じられません。

西田　その姿勢には忖度を感じます（笑）。辻田さんはこの儀式のどこに注目したのでしょう。

辻田　誤解を恐れずに言えば、ごった煮のようなところでしょうか。たとえばある報道では高御座《たかみくら》にのぼった天皇を平安絵巻さながらと表現していました。しかしそもそも、現在の高御座がつくられたのは大正時代です。この高御座のデザインは、さきほども触れた天孫降臨に関連づけられています。神武天皇の曾祖父にあたる瓊瓊杵尊が神々の世界から地上に降りてきた際に、直前までかけていた神の座を模したということになっているんですね。ところが、それ以前は、もっと中国風のものでした。そもそも『古事記』や『日本書紀』を読んでも、その詳しいデザインが示されているわけではないのです。

西田　完全な空想によってつくられた伝統なのですね。

辻田　さらに西洋からの影響も混ざり込んでいます。高御座の隣に置かれた御帳台《みちょうだい》がそうですね。皇后が座るための台座ですが、これは西洋の国王と王妃が並ぶ姿を意識して、近代以降に導入されました。儀式の途中の礼砲も、もちろん西洋由来のものです。二一発鳴らすのも、伝統や文脈はないのに数だけを真似ている。出席者の服装を見ても、皇族は和服、首相は洋服とチグハグです。戦前は、皇族も首相もみんな束帯姿でした。しかし平成の即位礼正殿の儀の際に、当時の海部《かいふ》俊樹首相が、新憲法下なのに戦前のままではよくないと洋服にあらためたのです。もっとも、さらに歴史を遡ると、束帯姿すらも近代以降の伝統にすぎません。それ以前、天皇は袞冕十二章《こんべんじゅうにしょう》という龍の絵が描かれた中国風の服を着ていて、頭にも中国の皇帝がつけているすだれのかかったような帽子を被っていました。また仏教からの影響も色濃く出ていて、即位灌頂《そくいかんじょう》といって、手で印を結びながら真言を唱えることもしていました。

西田　明治時代に中国や仏教からの影響を切り捨てる改革があり、戦後に再度の改革が行われたのですね。

辻田　ほかにも、戦前の場合、首相は天皇の臣下として、一段低い庭に降りて万歳をしていました。しかし平成では、戦後民主主義の理念から、首相は宮殿・松の間から降りずに、天皇と対等に近いところで万歳をするなど多少のアレンジが施されました。たしかにいま、首相が束帯姿で天皇を仰ぐかたちで万歳をするところを想像すると、かなり厳しいものがあるでしょう。なお、両手を上げる万歳自体、明治時代につくられたものです。

西田　なるほど。戦後の即位礼正殿の儀の改革は、いま名前の出た海部元首相の頑張りによるところが大きいのでしょうか。

辻田　海部元首相自身が何年かまえ、朝日新聞のインタビューで「努力をした」と語っていました［★18］。このように、天皇即位の儀礼は時代に応じていたるところがつくりかえられています。読売新聞の報道によれば、今回高御座には、天皇がよく見えるようにLEDがつけられていたそうです［★19］。神聖な場所なので、本来は暗がりのほうがいいくらいなのですが、煌々と照らされ三種の神器も丸見えでした。ここまでくると、言い方は悪いですが、もう戦前の「コスプレ」をやっているような印象さえ受けます。

西田　つくられた伝統は剣道や空手のような武道に通じることですし、高御

★18　海部は次のインタビューで、束帯姿のとりやめなどの改革について「日本が戦前と違う国民主権の民主主義国家であることを示そうと、僕なりに精いっぱいの努力をした」と語っている。「新憲法下『国民主権』で即位の礼　海部俊樹氏に聞く」、『朝日新聞デジタル』、二〇一七年七月二六日。URL=https://www.asahi.com/articles/ASK7P6W11K7PUTFK03P.html

★19　「令和の即位　日本の『今』映す」、『読売新聞』二〇一九年一〇月一六日。この記事によれば、高御座の内部に照明がつけられたのは平成の即位のとき。今回は「電球を最新の発光ダイオード（LED）に変え、さらに輝きを増」したという。

座にLEDというのもクールジャパンに通じるものを感じます。そのごった煮の「コスプレ」感こそ、ある意味で日本的かもしれません。

辻田　ちなみにこの儀式に合わせてか、高御座のミニチュアモデルも民間から発売されています。二〇〇〇円ほどだったので買ってみたところ、パッケージの表面には「日本の誇り」と書いてあったのですが、裏面には「Made in China」とあって笑ってしまいました。

西田　それは象徴的ですね（笑）。

辻田　しかし、このように改変されうる即位礼正殿の儀にあって、安倍首相が平成式をほとんど踏襲したことはやや驚きでした。「日本を取り戻す」という思想どおり、戦前式に戻すこともできたはずが、そうはしなかったのです。彼がこういう問題についてなにも考えていないことを示しているように思います。いっそ和装にしていれば、保守としての彼の思想がはっきりしたことでしょう。しかし今回の式には安倍首相なりの工夫というものはほとんどありませんでした。

西田　今回の儀式における安倍首相は、保守系のひとたちにとってはどのように受け止められたのでしょう。われわれからすると、このひとはほんとうに大丈夫なのだろうかという印象を受けてしまいます。今回、昭恵夫人が和装ではなく足の見えるミニ気味のドレスを着ていたことも話題になったので、それが保守派にどう評価されたかも気になります。

辻田　昭恵さんは保守からもリベラルからも、評判がよくなかったですね。しかし安倍首相に関しては、好意的に捉えられたのではないでしょうか。いま保守を自認するひとたちは、伝統的な保守というより、ビジネス的なポジショニングであるケースが多いです。したがって、形式的に万歳を行なったり、高御座が出てきたりすれば、あとは問題ないのだと思います。

西田　たしかに今回の即位礼正殿の儀自体、リベラルや左派から批判がありはしたものの、世の中一般にはよく受け取られたように見えました。諸外国からはどう見られているのでしょう。

辻田　政治学者の原武史さんがラジオで共演したときに言っていましたが、海外では「そもそもなぜこれをやっているのかわからない」という反応もあるようです。たしかに即位してすぐ即位後朝見の儀をやっているのに、約半年後に即位礼正殿の儀を行う理由を知らないひとは国内でも多いかもしれません。

戦前は、「登極令」にもとづいて、前の天皇が亡くなったときに践祚《せんそ》の式という位を継ぐ儀式を東京で行い、それから一定期間を空けたのち、そのことを内外に宣明する即位礼を京都でやることになっていました。さらにこれに加えて大嘗祭も執り行なったのち、天皇は東京に帰ってきたのです。なお大嘗祭は、天皇が新穀を天照大神と天神地祇《てんじんちぎ》に捧げ、みずからも食するという神秘性の強い儀式です。

戦後、このような即位儀礼はあらためられてもいいはずでした。ところが、昭和天皇が亡くなるまで、真剣に検討されませんでした。その結果、登極令は廃止され践祚という概念もなくなったはずなのに、従来のやり方が踏襲され、即位儀礼もいまだ「践祚」関係と「即位礼・大嘗祭」関係に分裂するかたちになってしまっているのです。海外から見たときに全体像が見えにくいのはもっともな話です。

西田　なるほど。海外ではあまり理解されず、国内で好意的に評価されたのは、この儀式に大塚英志さんの言う「かわいい」的な感性が働いているのかもしれません［★20］。辻田さんの言うように「コスプレ」的だという意見もありましたが、それを含めて世論は好意的だったように思います。

★20　大塚は『少女たちの「かわいい」天皇』のなかで、昭和天皇の崩御の際に少女たちが皇居に集まったことに触れつつ、稲作などの伝統から切り離された天皇は「資本主義社会の中にあって自らの周りを〈かわいい〉で遮断しなければ崩れてしまう」点で、少女たちと同様に「〈かわいいもの〉」だと述べている。大塚英志『少女たちの「かわいい」天皇――サブカルチャー天皇論』、角川文庫、二〇〇三年、二八頁。

日本神話で町おこしする地方社会

辻田　天皇制や日本神話に対する国民の感覚を知るうえで、わたしが先日取材した宮崎県の様子は参考になるかもしれません。わたしからは最後にその話をしたいと思います。宮崎県は、この章でなんどか触れた天孫降臨で、瓊瓊杵尊が神の世界から地上に降り立った場所とされています。天孫降臨の地については異説もあるのですが、とにかく宮崎県では神話を活かした観光が打ち出されているのです。

西田　ぼくはサーフィンが趣味なので、世界大会をはじめ頻繁に大きな大会が行われている宮崎県は、波乗りで町おこしをしている自治体としか思っていませんでした。神話による町おこしが行われているのは驚きです。

辻田　やはり西田さんとわたしの世界は分断されているのかもしれません（笑）。わたしはまず、宮崎市内の神話にゆかりの地をめぐりました。宮崎神宮には、神武天皇が乗ったとされる「おきよ丸」という船の模型もあるんです。さらに、リゾート施設・シーガイア

図4　おきよ丸の模型　撮影＝辻田真佐憲

のすぐ近くには、あの天照大神が生まれたとされる「みそぎ池」もあります。

西田　いずれもコメントに困るビジュアルです。みそぎ池はゴルフ場の池と言われても信じてしまいそうです。

辻田　宮崎市内でほかに重要なのは、八紘一宇の塔でしょう[★21]。これは彫刻家の日名子実三《ひなごじつぞう》が設計した記念塔なのですが、じつは土台に中国や朝鮮などの石が使われています。たとえば「中支岡村部隊」と彫られたものがあったり、「朝鮮総督府」と彫られたものがあったり……。もちろん、日本本土のものもたくさんあります。つまり、当時の日本の勢力圏から広く石を持ってきているわけです。「八紘一宇」は、天皇のもとで全世界がひとつの家族になるという思想ですから、それを体現しようとしたのでしょう。なかには、ドイツ在住の日本人から贈られたものもあります。

　日名子は同じく宮崎市内に「皇軍発祥之地」という記念碑もつくっています。神武天皇が皇軍、つまり日本軍をつくったという発想です。もっとも、こちらの石碑の周辺は草が生い茂っていて、あまり管理されておらず、てっぺんは鳩の巣になっていました。

図5　みそぎ池　撮影＝辻田真佐憲

★21　八紘一宇の塔は宮崎市の平和台公園に建造された高さ三七メートルの塔。現在の正式名称は「平和の塔」、旧正式名称は「八紘之基柱《あめつちのもとはしら》」で、八紘一宇の塔は正面に掲げられた刻字にもとづく通称。一九四〇年に皇紀二六〇〇年を記念し、大分県出身の彫刻家日名子実三の設計

西田　日本軍や神話に関連するスポットは宮崎市に集中しているのでしょうか。

辻田　県内各地にあります。たとえば神話に関しては、南部の日南市に、神武天皇が生まれた場所とされる鵜戸《うど》神宮があります。というより、じつは神武天皇生誕の地とされる場所は県内に四つほどある（笑）。県北の高千穂町にある、槵觸《くしふる》神社の四皇子峰もそのひとつです。すぐ隣には、天孫降臨した神々が、もといた高天原を仰ぎ見たという「高天原遥拝所」なる空間まであります。まあ、それは神社の案内なので別にいいのですが、すぐ近くには環境庁と宮崎県の連名で「この高天原中腹には、皇祖発祥の由緒を証明した高千穂歌碑が建立されています」という看板があるんですね。いったいなにをもって「皇祖発祥の由緒を証明した」とするのか、謎が深まります。

西田　環境「庁」ということはそれほど新しいものではないはずですが、省庁のお墨付きを得るように地元が動いた広告戦略のあとにも見えます。

辻田　神話と現実が混ざってしまっていて、なにがなんだかさっぱりわかりません。

のもと建造された。内部は空洞になっており、天孫降臨などを描いたレリーフが置かれるが、通常時は公開されていない。

図6　八紘一宇の塔　撮影＝辻田真佐憲

高千穂町ではほかに、天岩戸神社を訪れました。その名のとおり、天照大神が籠もった天岩戸という洞窟が祀られています。ただ神話では、高天原にいる天照大神が、弟の素戔嗚命《スサノオノミコト》の粗暴な振る舞いで気を病み、洞窟に籠もったという流れだったはずです。だから地上にその天岩戸があるのはおかしい。

　そして現地もよく見れば、神社の看板に「超古代史の郷」と書いてあったり、近くに「あまてらすの隠れテラス」という笑える名前のお店もあったりで、かなり自由なんですね。お土産として、天照大神のシャツや「高千穂開運カード」も売られていました。高千穂峰は瓊瓊杵尊が降りてきたとされる場所ですが、完全にパワースポットとして扱われていて、観光客もたくさんいました。つまり日本神話が、完全に観光資源として活用されているんです。

　最後に同じく県北の日向市の、美々津町《みみつちょう》というところを紹介しましょう。美々津は昔ながらの港町の趣が残る海沿いの町で、神武天皇が国の中心を奈良に移すために、軍を率いて船出した地とされています。そのときの船が、宮崎神宮にも模型があったおきよ丸です。美々津では郵便ポストにもこの船が描かれていて、その模型を付した「日本海軍発祥之地」なる記念碑が、やはり日名子によって建てられています。

　しかし、じつは美々津という名前は『古事記』にも『日本書紀』にも一切出てきません。神話的な根拠すらない、たんなる伝承によって町のイメージがつくられているのです。神話による町おこしは、ほんとうに自由に、適当に行われていることがわかりました。だからこそ、神武天皇が生まれたとされる場所も複数あるわけです。

西田　そこにもつくられた伝統が感じられますね。

辻田　しかしわたしはその「雑」な感じに、ある種の好感を覚えました。美々津の地元のひとに話を聞くと、「神武天皇っていうと、(存在を)疑われるんですよ」と悲しんでいました。記紀の記述とは無関係に、神武天皇の伝承が郷土愛に結びついているのです。日本の皇室にたいする意識も似たようなものなのかもしれません。ごった煮の「コスプレ」だから排除して終わりではなく、むしろこういうものこそ真剣に考えないといけません。

天皇制にどう接するか

西田　ここまでのお話で、辻田さんの日本神話や天皇への関心をあらためて感じるとともに、日本人にとって天皇がいまだ重要な存在でありつづけていることがわかりました。最後に、現行の天皇制について話すのがいいと思います。辻田さんは天皇制について、どういう考えを持っていますか。ぼくは現行憲法が天皇制を擁護している以上、いまのあり方でよいという立場です。

辻田　わたしも天皇制に対して強い反対意見を持っているわけではありません。少なくとも、即廃止するべきだという考えではないです。しかし現状では、天皇家に生まれたというだけで結婚も自由にできず、人権上の問題があることは疑いようがありません。その負担は減らしていくべきだと思います。

それに、いまの皇室は幸いに常識的なひとが多いですが、歴史をたどれば、高御座のなかに女性を連れ込んだ平安時代の花山天皇のような例だってあるわけです。あるいは海外を見ても、タイの新国王のように、愛人を高い地位につけるなど、さまざまな問題を引き起こしているケースもあります［★22］。日本の皇室だって、今後どうなるかわかりません。いまのうちから、天皇制の未来を考えておくべきです。

西田　そういう考えで皇室の負担を下げていった果てには、共和制や大統領制のような別の社会統合の原理を導入したほうがよいのではという思考もありえます。それらの制度には肯定的でしょうか。

辻田　むずかしいところです。いまの首相が元首になるところを想像すると、ほんとうにそれでいいのかと思わざるをえません。歴史的に見れば、共和制

★22　タイのワチラロンコン国王は二〇一九年、愛人とされていた女性にそれまで約一〇〇年間用いられていなかった王妃以外の配偶者を表す称号を与え、タイ王室に側室が復活した。しかしその後三ヶ月で、その女性が不誠実だとし称号を剥奪。さらに二〇二〇年九月には称号剥奪を撤回した。

は独裁者が出てくるリスクも高い。共和制を一度も導入したことがない日本に、そのむずかしい仕組みをうまく回すことができるのかは疑問があります。

西田　ぼく自身は正直、天皇制に対して特別な関心があるわけではありません。ただ、たしかに天皇制は現実にわれわれの社会の統合の象徴として機能しているとは感じます。しかもたんなる象徴としてではなく、ふしぎなことにその身体性がわれわれの社会に対して節目節目に無視できない影響を及ぼしている。日本社会において、社会統合の基盤としてほかにどういうものがありえるのか、なかなか想像できません。時代によって役割が変わりつつ、たしかに天皇制が存在してきたのは否定しがたい事実です。もちろん憲法はその基盤だということになっていますが、憲法が成立するにはその前提になる前‐憲法的な条件が必要なはずです。それを考えると、多くのひとが参照しうる最大公約数的な統合の原理として働いているのは、やはり天皇制かもしれない。良くも悪くも、天皇制は代替困難なものとしてあったし、時を超えてありつづけている。だからこのさきもあるのではないかと考えます。

辻田　別の視点から見ると、天皇制に対する支持は、平成を通じて高まりました。昭和天皇は戦争の問題を抱えていましたが、平成の天皇はそこから比較的自由でした。しかも彼は、大きな失点もなく三〇年を勤め上げた。その退位のタイミングだからこそ、戦前から引き継いでいる負担を強いる制度を、戦後民主主義に合わせるかたちで改善していくべきだったと思います。たとえばわたしは、即位関連の催しはもっと縮小してもよいと考えています。また、秋篠宮が提案したように、大嘗祭を国費ではなく内廷費で行うなど、いろいろ改革の余地はあるはずです。大嘗祭はどう考えても天皇家の宗教行事ですから、それに国費を投入するのは憲法上いろいろ問題があります。天皇制を即廃止にすることも、戦前式に戻すことも現実的ではない以上、地道な改革を進めていくしかない。ただ、平成から令和への移行では、その努力を怠ったと見ています。

今回の即位礼正殿の儀も、すこし歴史を知っていればそれほどありがたいものとは思えないはずです。しかし現実には、虹が出ただけでメディアも国民も大騒ぎしてしまう。それがわれわれの社会が抱えている弱点です。天皇制にかぎらず、オリンピックや万博でも同じように大騒ぎして、空気がパッと変わり、さまざまな意見が吹き飛んでしまうでしょう。そういう特殊な国に生きていることが再確認された以上、政治や情報との付き合い方もあらためて慎重にならざるをえません。

西田　辻田さんの強さはその圧倒的なアイロニカルさと優しさが併存してい

るところにある。さらに保守系の知識に精通した、独立系研究者。ちょっと同世代では類を見ない組み合わせの論客ですね。コンプラの広まりのなかで、皮肉自体が敬遠されがちですし、伝わりにくくなっていますが、ぼくは大好きです。

辻田　ありがとうございます。わたしも西田さんの、空気に流されず、クールに突っ込むところが大好きですよ。

4

コロナ禍と市民社会

2020年4月27日

最初は対岸の火事だった

西田　前章の対談収録は二〇一九年一〇月二八日でした。しかしその後、状況がまったく変わることになります。新型コロナウイルスの感染が拡大したためです。

辻田　本章ではコロナ禍直前のプロパガンダの事例を見たあと、コロナ禍の政治とメディアの状況を中心に扱っていきます。

中国の武漢でコロナウイルスの発生が確認されたのは、二〇一九年一一月のことです。しかし当時、日本ではまだそれほど大きなニュースになっていませんでした。この時期日本で話題になっていたのは、日本とオーストリアの国交樹立一五〇周年事業としてウィーンで行われた芸術展です。この展覧会に日本の戦争責任や原発事故に触れた作品が出展されたとして、在墺日本大使館が両国友好一五〇周年事業の認定を取り消したことが問題視されました［★1］。

★1　「『日本で問題起きた』反日批判で外務省急変　ウィーン美術展公認取り消し」、『毎日新聞』、二〇一九年一一月二〇日。URL=https://mainichi.jp/articles/20191120/k00/00m/030/263000c この記事では同展の公認取り消しが、前章で取り上げたあいちトリエンナーレ2019をめぐる騒動を受け、外務省が国内のクレームを恐れた結果だと示唆されている。

西田 コロナ禍下の現在から見ると、隔世の感すらあります。

辻田 実際にはこの対談の収録時点で、まだ半年ほどしか経っていません。しかしなにもかも変わってしまったように感じます。いまではほとんど忘れられていますが、この時期には政治的なニュースが多くありました。保守論客の竹田恒泰さんの講演会に「ガソリンを撒く」という脅迫電話があったり、参加者名簿の破棄などが問題になった「桜を見る会」の翌年度の開催が中止になったり[★2]、青山繁晴議員がマンガ家の弘兼憲史さんを起用した皇位継承に関するマンガの出版計画を発表するなどです。

西田 弘兼さんの代表作「島耕作」シリーズはぼくもよく読んでいます。主人公の島耕作は、課長から部長、取締役……と出世していき、現在は一線を退いて相談役になっています。このシリーズには、別のシリーズで描かれた登場人物が再登場することがよくあります。たとえば『社長 島耕作』には、弘兼さんが九〇年代の政界をモチーフに描いたマンガ『加治隆介の議』の主人公の息子という、小泉進次郎のような人物が登場するんです。このキャラクターは、尖閣諸島問題が中国側の謀略だという主張をします。もともと島耕作シリーズには女性蔑視的な描写や嫌中、嫌韓的な描写が見られましたが、近年ではその傾向がとくに強くなりました。世相の空気感を敏感に反映して

★2 「桜を見る会」は総理大臣が主催し、新宿御苑で開催されていた公的行事。二〇一九年五月に費用の肥大化が問題視されたことをはじめ、招待客の不透明さや名簿の廃棄など問題が噴出。これを受け菅官房長官が二〇二〇年の開催の中止を発表した。その後二〇二〇年九月に、翌年以降も開催しないことが発表された。

きたとしか思えないんですよね。

辻田　青山議員が弘兼さんに声をかけたのも必然的だったのかもしれません。一一月には東京大学で特任准教授を務めていた人工知能研究者の大澤昇平さんが「弊社 Daisy では中国人は採用しません」、「中国人のパフォーマンス低い」という内容をツイッターに投稿するという出来事もありました。彼はその後も問題発言を繰り返し、二〇二〇年の一月には東大を懲戒解雇されています。

西田　大学には学問の自由がありますから、発言内容が理由で懲戒解雇にまで至るのはかなりめずらしいことです。採用の経緯を見ても、どうやらこのひとはマネックスグループなどの企業による寄付でつくられた講座の担当教員として雇用されたようです。その意味では寄付企業の意向や資金の動向に左右されやすいポジションだったのでしょう。通常の常勤教員とは異なる、非常に特殊なケースだという印象です。最近では大学にも一般企業と同様に、懲戒規定をはじめ多くの規則が設けられています。社会的な発言や、大学の信用や地位を毀損する発言が抵触することもありえるので、かつてのように大学教員の自由奔放な発言が許容される時代ではなくなってきています。そのことは意外と知られていませんし、当の大学教員があまり認識していないことも少なくありません。その意味では、当該の発言内容は論外ですが、大学における学問の自由の実質は社会的な視点が重視され、以前より制限されている印象です。良くも悪くも「社会の外」ではなくなりつつあります。

辻田　年が明けても政治と情報戦略をめぐるニュースはまだまだありました。二月の上旬には、日本青年会議所（JC）がツイッター日本法人とパートナーシップ協定を締結します。第一章で見たとおり、JCは「宇予《うよ》くん」というキャラクターのアカウントをつくって炎上した組織です。この提携をきっかけとしてJCは、フェイクニュース問題に取り組む新アカウント「情報を見極めよう！」を開設します。そのアカウントで、偏向的な内容がしばしば指摘される高須クリニックの院長のツイートをよくリツイートしたり、この提携について津田大介さんが言及したことを「津田大介が発狂」と揶揄する投稿をリツイートしたりしてしまう。もちろん、即座に問題になりました。

西田　アカウントの担当者が独断でやったことでしょう。アルバイトやインターンだったかもしれません。いずれにせよ、脇が甘すぎました。この企画の背景には、総務省がフェイクニュースについて、プラットフォーマーと民間の団体が連携しながら対応するよう文書を取りまとめたという経緯があります［★3］。ツイッター日本法人としてはこれを踏まえて、JCとコラボレー

★3　総務省が二〇二〇年二月に取りまとめた「プラットフォームサービスに関する研究会最終報告書」には「我が国における偽情報への対応の在り方の基本的な方向性としては、まずはプラットフォーム事業者を始めとする民間部門における関係者による自主的な取組を基本とした対策を進めていくことが適当である」と記載されている。同報告書は以下のURLからダウンロードできる。URL=https://www.soumu.go.jp/main_sosiki/joho_tsusin/d_syohi/ihoyugai_05.html

ションしてフェイクニュースを見極める施策を行うつもりだったのだと考えられます。

辻田　ツイッターとJCは対極的なイメージがあるので、コラボレーションをすれば大きいインパクトを与えられると考えたのかもしれません。ただ、リツイートしている内容はほんとうにひどいものでした。アカウントの更新も止まってしまい、企画自体がなかったことにされています。

西田　とはいえ、リベラルもあまりJC的なローカルなつながりを軽視するべきではないでしょう。JCの会員には叩き上げの中小企業の社長や地元の名士が多く、彼らは彼らで、ある種の公共心が高いからです。地元愛や、地元の景気をよくしたい、暮らしを改善したいという熱意それ自体は相当本気です。ぼくも含めたリベラルがそれらをくさしているという構図に陥ってしまうと、彼らが「汗をかかないのに文句ばかり言う」と反感を持つことになるのもすこしは道理があります。自民党の強さの理由のひとつは、そうした層を支持基盤として持っているところにあります。

辻田　地元を盛り上げる活動に積極的に参加するなど、地方社会を支えているひとたちが多い。そういう方々が自分たちの社会を守るために、国家のことを考えるのはもっともなことです。しかしそこで、モデルがネット右翼になってしまうことが現代の厄介なところです。

この時期にはすでに、国内ではじめてコロナウイルスの感染者が確認されています。しかしどこか対岸の火事というかんじで、一月にコロナウイルスによる東京オリンピック・パラリンピック（以下五輪）の中止がツイッターのトレンドになったときにも、まだデマとして扱われていました。

西田　その後三月末に二〇二一年への延期が発表されますが、開催の可否はいまでもまったく読めない状態です。ぼくは早く中止を決断してしまったほうがいいという考えです。実施に向けた議論を再開してから第二波が来る可能性もありえますし、そうなってしまったらどうしようもない。アスリートファーストで考えるなら、つぎのパリ五輪に向けて照準を合わせたほうがいいはずです。なにも決めずにだらだらと、場当たり的に変化に対応せざるをえない状況が続くのは、われわれの社会のあまりにうんざりさせられる点です。

辻田　いまは利権ファーストで進んでいるとしか思えません。延期のためにさまざまな施設が借りっぱなしになっていて、費用も嵩んでいます。そもそも世界中からひとを呼んでクラスター感染が起きたら、国内が持たなくなってしまう。一、二月には欧米の教育機関でアジア系の学生への差別が見られましたが［★4］、その逆が起きないともかぎりません。この時期には、伊吹文明元衆院議長の「［コロナ禍は］緊急事態の一つの例。憲法改正の大きな実験台と考えた方がいいかもしれない」という意味不明の発言もありました［★5］。どうも能天気というか、利己的な対応が目立ったように感じます。

西田　非常時のどさくさに、政治家が自分の思惑を通そうとするのはよくあることなので、注視する必要があります。最もコストがかからない五輪だと豪語した猪瀬直樹さんがいま一体なにを口にし、なにをしているかなども注目するとおもしろいです。いまは、大阪万博にご執心のようですね。

ダイヤモンド・プリンセスから「緊急事態宣言」へ

辻田　二月に入ると、本格的にコロナ禍のニュースが取り上げられるようになります。きっかけのひとつは、旅客船ダイヤモンド・プリンセス号の入港問題です。この船は三日に横浜港に着岸しました。すでに下船していた乗客がコロナウイルスに感染していたため集団検疫を行なったところ、乗客の集団感染が確認されます［★6］。国内にまだ感染者がほとんどいなかったこともあり、横浜港への停泊や、船内の隔離体制についての批判が多かった。橋

★4　二〇二〇年の一月から二月初頭にかけての欧米ではまだ感染爆発が起きておらず、アジア系の学生の受講を拒む、隔離を要求する署名を行うなどの差別行為が問題になっていた。

★5　「新型肺炎『緊急事態の一つ、改憲の実験台に』　伊吹元衆院議長」、『東京新聞ウェブ』、二〇二〇年一月三一日。URL=https://www.tokyo-np.co.jp/article/14624

★6　ダイヤモンド・プリンセス号での集団感染の経緯については、国立感染症研究所の月報に「ダイヤモンド・プリンセス号新型コロナウイルス感染症事例における事例発生初期の疫学」という文書が掲載されている。URL=https://www.niid.go.jp/niid/ja/typhi-m/iasr-reference/2523-related-articles/related-articles-485/9755-485r02.html

本岳厚生労働副大臣がツイッターに船内の写真を投稿したり、医師の岩田健太郎さんが「告発動画」をYouTubeにアップしたりしたこともあり、話題は大きく広まっていきます［★7］。

西田　岩田さんの動画は、どう捉えていいかむずかしいところがあります。ああした通説とちがうオピニオンが出てくることは、プランBを考えるうえでとても重要です。しかしぼくは、基本的にダイヤモンド・プリンセス号に関する日本の対応は人道的な観点から一定程度理解可能な判断であり、全体としては評価されるべきだと考えています。超大型のクルーズ船で感染症が蔓延したとき、船籍主義を取るのか、運行企業が責任を取るのか、あるいは寄港地が対応するのかが国際法上判然としないため、日本は対応に際して、各国大使館に了解を取りつけていました。しかしその間に乗客も個別に海外メディアの取材にオンラインで応じるなどして、国内外での批判が強まりました。

辻田　乗客には日本人がかなり多く、現実的に船を漂流させつづけるわけにもいかない以上、受け入れるという判断は正しかったとわたしも思います。このころは武漢

★7　二〇二〇年二月一八日にダイヤモンド・プリンセス号に入った医師の岩田健太郎神戸大学教授は、同日夜、ゾーニングが不徹底である船内を「悲惨な状況」と伝える動画をYouTubeに投稿した。その内容から「告発動画」としてウェブ上で拡散し大きな話題となった。岩田は二〇日朝、ツイッターに「ご迷惑をおかけした方には心よりお詫び申し上げます」と謝罪を投稿するとともに動画を削除している。

図1　横浜港に停泊するダイヤモンド・プリンセス号
写真提供＝共同通信社

からの帰国者を受け入れる施設で職員が自殺するという事件もあり、人々に不安が広まっていました。海外に目を向けても、シンガポールでトイレットペーパーの買い占めが起きる、パリの日本料理店で「コロナウイルス　消え失せろ」と書かれるなどの事件が起こります。

西田　日本を含め、感染者が出た国への差別が広がっていきましたね。

辻田　そんな空気のなか、二月一一日に、新型コロナウイルスによる感染症に「COVID－19」という名前がつけられました。

日常生活にも影響が出てきます。二月一三日には、東京大学の二次試験で、罹患者は受験不可というアナウンスが出ます。とはいえ検疫をしたわけではないので、実際のところは罹患した受験生がいてもわからないまま試験を受けられたでしょう。

西田　東大にかぎらず大学入試は平常どおり行われ、ぼくも試験監督として駆り出されていました。しかし実施できたのはかなりギリギリのタイミングだった印象です。もし感染拡大が一ヶ月早かったらできなかったのではないでしょうか。そうなると国立大学はともかく、受験料を大きな収入源としている私立大学には、経営が危うくなるところもあったと想像できます。

辻田　二月の末になると、政府や自治体が対応を取るようになります。二七日には安倍首相が全国の小中高校、特別支援学校に臨時休校を要請。翌二八日には鈴木直道北海道知事が独自の「緊急事態宣言」を出します［★8］。この宣言は法的な根拠のないもので、わたしは正直、勝手に言っているだけだと思ってしまいました。

西田 日本の現状の感染症対策の枠組みは知事の裁量を大きく取っていて、これは言い方を変えれば、地域の実状に応じて判断や対策を求めているということです。その点で、ぼくはこの取り組みに肯定的な立場です。北海道はかなり感染が進んでいましたから、知事の判断と裁量で自ら動いたのはよかった。その一方で、内容はさておき、コロナ対策を通じて知事の顔が見えた自治体が意外と少なかったことは気になっています。小池百合子東京都知事、吉村洋文大阪府知事、鈴木北海道知事以外にも多くの知事がいるわけですが、その声は小さかったので、そもそも地方に委ねた感染症対策がよいのかはいずれ議論が必要な印象です。バックラッシュ的に国依存の空気は強まりそうです。

辻田 一方でこのとき、日本政府の対応は悪い印象を与えました。二月二九日には安倍首相がコロナ禍について最初の会見を行いますが、質問を途中で切るなど、評判が非常に悪かった。そのような会見が、このあと隔週で行わ

★8 二〇二〇年二月末時点での感染者数が国内最多だった北海道の鈴木知事は、感染拡大防止のため、独自の「新型コロナウイルス緊急事態宣言」を発表した。この宣言は法的な根拠があるわけではなく、のちに新型インフルエンザ特措法にもとづいて発令された緊急事態宣言とは異なる。期間を発表から三週間とし、週末の外出を控えるよう呼びかける内容で、自治体独自の感染拡大対策のさきがけとして注目を集めた。

れることになるとは、当時だれも思っていなかったでしょう。
　ちなみに二月後半には、保守論壇からも安倍首相への批判が上がりました。百田尚樹さんが、安倍首相は「『鳩山由紀夫・菅直人以上に無能な首相』の烙印を押されるかもしれない」という内容をツイッターに投稿して、保守界隈に衝撃が走ります。「鳩山由紀夫・菅直人以上に無能」とは保守界隈では最低という扱いなので、非常に強い言葉での批判と言えます。
西田　この発言によって安倍首相の、あるいは百田さん側の支持者が離れることはあったのでしょうか。
辻田　いや、この発言自体がなかったことになっています。與那覇潤さんがよく言っている「歴史喪失」ではないですけれども、彼らには歴史というか、過去を振り返るという発想が希薄です。だからこそわれわれがきちんと記録する必要があります。
西田　実際にはこのあと、百田さんは有本香さんとともに首相官邸に招かれ、安倍首相と面会していますね。
辻田　要するに、これは保守界隈のプロレスなんです。それを真に受けたのか知りませんが、小川榮太郎さんは政府側に近いポジション取りで、「安倍政権批判に転ずる保守系発信者たちへ」と題する連続ツイートを投稿し、百田さんと立場の差別化を図ります。ところが悲しいことに、実際に官邸に呼ばれたのは百田さんでした。その後、百田さんは安倍首相への激越な批判をやめています。

西田　このときの安倍首相の動きは保守層へのリップサービス以外のなにものでもないですね。

「私権の制限」論は的はずれ？

辻田　三月に入っても、保守系の発言が目立ちます。三月はじめ、自民党の山田宏議員が「武漢肺炎」という言葉を使い問題になります。

西田　ＷＨＯが定めるガイドラインにも、病名に地名を付してはいけないと記載されています［★9］。人々が行動履歴を隠し、感染経路の追跡をむずかしくする一因になるので、注意せよということのようです。しかしこうした差別や偏見につながる発言は、このあとも数多くなされていました。

辻田　政府の情報戦略という観点からは、テレビ朝日の報道番組「羽鳥慎一モーニングショー」の内容に、厚労省と内閣官房、自民党のそれぞれのツイッターアカウントが反論を投稿するという出来事がありました［★10］。言論

★9　ＷＨＯが定める新型感染症の命名についてのガイドラインには人名、動物や食物の種類などにならび、地名を新たな感染症の命名に含めるべきではないと記載されている。URL=https://apps.who.int/iris/bitstream/handle/10665/163636/WHO_HSE_FOS_15.1_eng.pdf;jsessionid=1A52572D066F03122EE8713301C028E?sequence=1

★10　二〇二〇年三月四日に放

弾圧にあたるという声もありましたが、西田さんはこの問題をどう見ましたか。

西田　反論それ自体については肯定する立場です。政府が反論した番組は朝の報道番組のなかでも視聴率が高く、数百万人が見ています。これはフォロワー数がせいぜい数十万人ほどの政府のアカウントと比べて、かなりの発信力と言えるでしょう。ですから、ほんとうに内容に誤りがあったのであれば、きちんと反論するのは当然のことです。むしろこれまでが放置しすぎだったのかもしれません。ただ危機の最中で唐突にやるべきだったかは議論がありえるでしょう。

辻田　反論のなかに誤認があったことは残念でした。厚労省は医療用マスクの医療機関への優先配布を「行った」とツイートしますが、その後の医療関係者への取材でマスクが行き渡っていないことが明らかになります。そもそもツイッターに投稿しただけでは、反論が目的というよりも、支持者を動員してマスコミ叩きを焚きつけているだけに見えてしまう。言論弾圧だという声が出てくるのも無理のないことではないでしょうか。

西田　それはおっしゃるとおりです。政府側の反論が曖昧で主観的なものだったために、お互いの不信感を強化することになってしまった。

送された「羽鳥慎一モーニングショー」での、医療機関におけるマスク不足を指摘するコメンテーターの発言に対して、厚生労働省のツイッターアカウントが番組名を明記し反論を行なった（URL=https://twitter.com/MHLWitter/status/1235335031305928706）。その反論で厚生労働省は、医療機関にマスクを優先的に配布したと主張したが、番組の追加取材で実際には医療機関にマスクが到着していないことが発覚。厚生労働省はマスクの供給経路を示し、供給を開始したもののまだ行き届いていないという補足を投稿した。同番組をめぐっては、三月五日放送の内容について、自民党・内閣官房のそれぞれも名指しで反論を行なっている。西田は『コロナ危機の社会学』（二〇二〇年）で、これらの政府側の反論は『「明確な間違い」こそ見当たらないものの、曖昧さや主観的要素を含んでいた」ために、政策広報としてネガティブに働いたという見方を示している。

辻田　テレビの側もかなり本気で反論してしまったので、コミュニケーションが成立しませんでした。政府のツイッターの担当者を番組に呼んで話を聞くなどすれば、ちがう解決もありえたかもしれません。ちなみに同じ三月には、ドラッグストアの店員が客にマスクがないと責められて、「私はウイルスよりも、人間が怖いです」という発言をしたことも話題になっています。このころ、マスクの供給不安がピークだったことがわかります。

西田　この時期行われた重要な政府側の施策として、三月一三日に新型インフルエンザ特措法の改正がありました[★11]。特措法はのちに出される緊急事態宣言の根拠となった法律で、その内容ももちろん重要です。しかしそれ以上に注目したいのは、報道のされ方についてです。メディアは、この法律は緊急事態発令による私権の制限の可能性があり、非常に危険であるという論調でした。野党も同様に批判をしています。しかしこの法律の根幹は、二〇一二年に民主党政権がつくったもので、改正案もほとんど変わっていません。今回の改正は、COVID－19をこの法律の適用対象にするということだけで、緊急事態宣言が私権の制限に関する改正は行われませんでした。にもかかわらず、私権の制限云々というまったく関係ない論点を批判の対象として集中的に取り沙汰したのは根本的に的はずれだったのではないでしょうか。

★11　正式名称は新型インフルエンザ等対策特別措置法。二〇〇九年に新型インフルエンザウイルスが世界的に流行したことを受け、二〇一二年の民主党政権下で成立した。「新型インフルエンザ等」が流行した際の緊急事態措置の条項を含んでいたことから、これをCOVID－19に適用する法改正を行うことが検討され、私権の制限をめぐり議論が起こった。二〇二〇年三月一三日に法改正が行われ、のち発令される緊急事態宣言の根拠法となった。

辻田　わたしは制度の話に目が行かないので、とても興味深い指摘です。

西田　メディアの統制に関する議論も起こりました。緊急事態宣言が出たら民放の番組の内容に政府が介入できるようになるのではないか、というものです。立憲民主党の山尾志桜里議員がこの点について国会で質問をしていました。

辻田　三月一二日に伊吹元衆院議長が「バラエティー番組も含めて自粛すべき」という発言をしていたこともあり、特措法にはまるで戒厳令かのような印象を持ったひともいたようです。

西田　しかし実際に条文を読むと、緊急事態には通信業者は必要な通信を優先的に確保しなくてはならない、という書き方になっていて、ふつうに読めばコンテンツの内容を制限できる記述ではありません［★12］。ぼくは法律の専門家ではないですが、内容よりもむしろ帯域の確保に関して融通を利かせることを意味していると考えられます。にもかかわらず、山尾議員の質問に対して、内閣府の宮下一郎副大臣が「そういうこともできなくもない」というような答弁をしてしまった［★13］。それで必要以上に話が大きくなった印象です。放送行政を取り仕切る総務大臣がこの間、高市早苗さんだったことも強権的なイメージを与えたのかもしれません。

★12　当該の条文は以下（第五三条第二項）。「電気通信事業者［……］である指定公共機関及び指定地方公共機関は、新型インフルエンザ等緊急事態において、それぞれその業務計画で定めるところにより、通信を確保し、及び新型インフルエンザ等緊急事態措置の実施に必要な通信を優先的に取り扱うため必要な措置を講じなければならない」。文中の「指定公共機関」は同特措法第二条で「政令で定める」とされる法人で、第三条において「新型インフルエンザ等が発生したときは［……］対策を実施する責務を有する」とされている。

★13　★12で記した「指定公共機関」に民放が含まれるか否かを問われた宮下副大臣は、民放の放送内容について変更の指示

辻田　しかし条文に検閲について書かれていなくても、安倍政権はそれを拡大解釈していくのではないかと懸念されます。

西田　もちろんそのリスクを完全に否定することはできません。しかし条文自体にはそう書いていないことを、検察出身で法律に詳しい山尾議員はわかっていたはずです。確信犯的に問題のフレームアップを図ったのではないかと思います。

辻田　緊急事態下のメディア規制については、安倍首相が三月一四日に行なった二回目の会見で、ジャーナリストの岩上安身さんが質問をしていましたね。前回の会見で不評を買ったからか、今度はフリーランスを含めて、記者からの質問を追加で受けつけていたのも注目されました。しかし西日本新聞の報道では、追加の質問を受けるという素振り自体が、国民の関心を引くためにあらかじめ用意されていたのではないかという指摘もありました［★14］。たしかにあの安倍首相がアドリブで質問を聞くとも思えないので、「国民の声を聞きました」というアピールだという見方は説得力があります。山尾議員も安倍首相も、コロナ禍を人気取りに利用したということになるかもしれません。

ちなみにこの会見の日には、前章で触れた日本博のオープニング・セレモ

を出すことが特措法の趣旨に沿うものだと答弁した。その二日後に西村康稔経済財政・再生大臣が、民放は含まれない旨を説明。宮下副大臣の発言を事実上撤回した。

★14　当該記事は以下。記事では政権幹部の声として、「2月の前回会見で、質問を途中で打ち切ったことへの非難を拭い去りたいとの首相の強い思いがあった」という内容を紹介している。「首相、『丁寧な説明』演出に腐心　新型コロナで異例の土曜会見」、『西日本新聞』、二〇二〇年三月一五日。URL=https://www.nishinippon.co.jp/item/n/592109/

ニーが予定されていたのですが、中止となりました。展覧会そのものは行うようですが、美術館がすべて閉まっているいまの状況のままではむずかしいでしょう。

西田　公共施設を使って行うイベントは、いつから利用再開するかというところから議論を始めなくてはならないですからね。

辻田　いまでは大学の施設も閉まっており、学生からは大学は施設費を返還するべきだという話も出てきています。

西田　施設費と授業料が分かれている私立大学に関してはまったくありえない話ではないと思いますが、かなりむずかしいでしょう。早々に給付措置を取った大学は、アメリカで起きたような授業料返還訴訟や運動を予防する目的もありそうです。アメリカの有名大学は私学中心で、学費がざっくり日本の一〇倍程度と超高額ですからね。日本でも理系で、実験のように設備を使う授業ができない学生はかなり苦しいはずです。卒業論文を書く予定の三、四年生や、大学院生も図書館などを使うことができません。国立大学の場合は施設費のような区分がなく、一律で授業料として徴収しているので、オンラインで授業を進めているかぎり返還の合理的理由はあまりなさそうです。そもそも大学側も、コロナ禍で国立、私立問わず少なくない数で、財政状況が悪化しています。ちなみに国立大学も、人事院勧告に伴って減給で、研究費削減も始まっています。

辻田　大学によっては、オンライン授業をやるために五－一〇万円ほどを学生に支給したり、Ｗｉ－Ｆｉを導入する費用を補助したりしているところがあります。図書館の閉鎖はわれわれ研究者にも痛手ですね。

西田　国会図書館はオンラインでも使えない時期もありました。大宅壮一文庫も同じく閉鎖されていて、雑誌広告の研究をしている身としては困っています。

中小企業支援はじつは充実している

辻田　日本博のセレモニー中止から一〇日後の三月二四日、とうとう東京五輪の開催延期が発表されます。三月四日の時点ではＩＯＣの会長が五輪開催を強調するニュースが出ていたので、短期間でバタバタと決まったことなのかもしれません。

西田　いわゆる「三つの密」（三密）という言葉が言われ始め

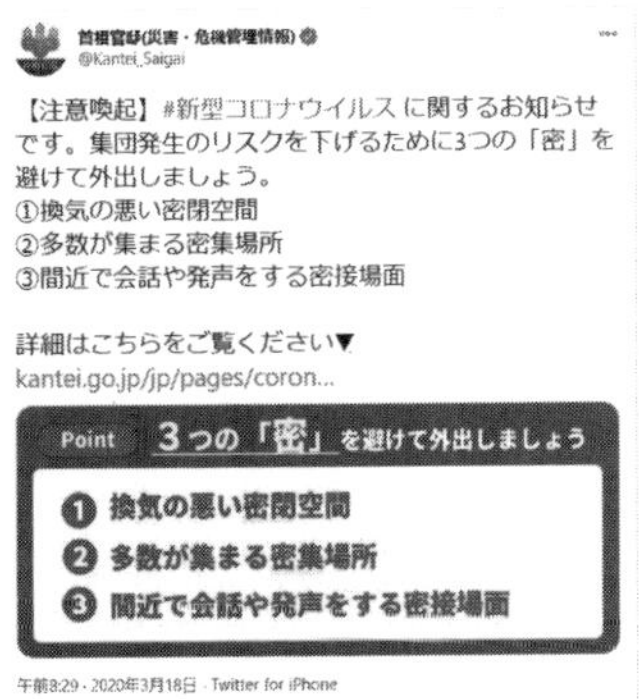
首相官邸(災害・危機管理情報)
@Kantei_Saigai
【注意喚起】#新型コロナウイルス に関するお知らせです。集団発生のリスクを下げるために3つの「密」を避けて外出しましょう。
①換気の悪い密閉空間
②多数が集まる密集場所
③間近で会話や発声をする密接場面
詳細はこちらをご覧ください▼
kantei.go.jp/jp/pages/coron...
Point　3つの「密」を避けて外出しましょう
1 換気の悪い密閉空間
2 多数が集まる密集場所
3 間近で会話や発声をする密接場面
午前8:29・2020年3月18日・Twitter for iPhone

図2　3つの「密」がはじめて使われた首相官邸公式アカウントのツイート
URL=https://twitter.com/Kantei_Saigai/status/1240057648835252224

たのもこの時期です。いまでは小池都知事のイメージが強いですが、言い出したのは首相官邸です［★15］。ちなみに当初は三つの密が重なる場を避けるという意味でしたが、いまではそれぞれの密それ自体が問題視されています。

辻田　五輪の延期や三密を避ける要請の本格化もあって、この時期からコロナ禍がもたらす経済問題が本格的に議論されるようになります。三月三一日には、音楽グループ氣志團の綾小路翔さんが、カラオケやライブハウスなどの営業自粛に対する補償を訴えて注目されます［★16］。このころから補償を求めるアーティストの運動も盛り上がり始めました。

西田　ぼくは原則として国が公費で個人や、とくに企業を恣意的に支援するべきではないという考えから、立法にもとづかない給付措置には総じて反対の立場です。

辻田　しかし現実問題として、アーティストや自営業の方々には、このままでは廃業して路頭に迷ってしまう危険があるのではないでしょうか。

西田　もちろん彼らが困窮してもよいというわけではありません。ただ給付措置はひと中心にすべきです。経営環境の変化には給付ではなく、条件のいい貸与を行うほうが適切です。過去の自然災害でも、災害弔慰金や被災者生活再建支援制度等を除くと、そう考えられてきました。もちろん給付行政の

★15　三つの密（三密）とは「換気の悪い密閉空間、多数が集まる密集場所、間近で会話や発声をする密接場面」という、感染リスクの高まるシチュエーションを指す言葉。もともとは官邸のツイッターで「三つの密を避けましょう」というスローガンとして広く用いられ、小池都知事が記者会見に殺到する記者に「密です」と注意を促したことも話題になった。二〇二〇年の流行語大賞にも選出（受賞者は小池都知事）。海外には3Cs (Closed spaces, Crowded places, Close-contact settings)として紹介される。

★16　前日に小池都知事が記者会見で「カラオケやライブハウスのほか、バーやナイトクラブといった接待を伴う飲食店などに行くことは当面、自粛するよう」呼びかけたというニュースを受け、綾小路は「営業／活動の自粛？　構いません。その分、

裁量は、規制行政と比べて広く許容されていますが、国が立法にもとづかず恣意的な対象に給付を措置すると、際限がないのみならず、実状や効果よりも政治の都合が優先されがちです。

辻田 安倍首相は中小企業に対して、無利子、無担保での融資を行なっています。この路線が正しいということでしょうか。

西田 そうですね、むしろ一律給付金のほうがポピュリスティックな政策であり、実際の効果は薄いと考えています。貸与はいちおう計画にもとづくので、金額も柔軟です。言うまでもなく迅速な経済的支援は必要ですが、それは本来、困窮者や失業者を対象とする例外的措置のはずです。失業対策がしっかりしていれば、企業が経営環境の変化に適応できずに潰れたとしてもさほど問題ないはずです。それこそ市場原理のはずですが、そうした議論はほとんど見られませんでした。ふしぎなのは、普段自己責任原則を強調しているビジネス系論客も給付に総じて肯定的なことです。捉え方によってはコロナ禍も、いささか急ではありますが、経営環境の変化ですよね。

辻田 一方で、ドイツをはじめヨーロッパ諸国では、貸与ではなく給付をかなり積極的に行なっています。

西田 完全に都市封鎖をした国々と日本は状況がちがいます。そもそも日本

補償をお願いします」と投稿している。URL=https://twitter.com/ShowAyanocozey/status/1244687741964541955

の場合は給付措置はむずかしいのです。まず給付の原資にあたる補正予算が成立していませんでしたし、また良くも悪くも政府は国民の口座と住所をきちんと把握していません。マクロ経済の理論上は一律給付をやるべきだという結論になったとしても、実際の政策として迅速にこれを実施する手立ては現存せず、申請制にならざるをえないのです。雇用者が申請する雇用調整助成金はもっと複雑です。

その前提に立つと、給付を行うにしてもほんとうに困っているひとに対象を絞り、スピードを優先するべきです。対象を絞れば、処理にかかる時間も減じます。その意味で、一律給付のまえに議論されていた住民税非課税世帯に対して三〇万円を給付するという政策は悪くないものだったと思います。売上や給与の急減が起きた世帯も含めるなど、対象には検討の余地がありますが。

辻田　なるほど、対象を限定した迅速な給付ならいいわけですね。一律一〇万円の特別定額給付金のほかに、個人事業主は一〇〇万円、中小企業は二〇〇万円が支給される持続化給付金も制度化されました。こちらはどうお考えでしょうか。わたしには粗雑な仕組みというか、わざと売上が減少した月を書類上でっちあげれば、だれでも受け取れてしまうように見えます。

西田　最大でその金額ですから、全員が一〇〇万円、二〇〇万円をもらえるわけではありません。前年と比べて最も売上が減少した月の減少分を、一年分乗じた金額です。それに仮に満額を受け取ったとしても、ちょっとした規模の事業者なら家賃と人件費だけですぐに消えてしまう額でしょう。

辻田　持続化給付金ではたいしてお金をもらえないならば、いま困っている事業主にはどういう支援をするべきでしょうか。

西田　まず、生活の問題と事業の問題を切り分けて考えないといけません。生活が困窮しているならば、さきほど言ったとおり、基準を設けたうえで給付による支援もするべきです。しかし事業については、やはり貸付で対応するべきでしょう。実際に政府は、事業者向けの貸付に関してはかなり迅速に対応していて、二月中旬には貸付緩和がなされています。貸付条件も、三年目までは無利子で、元本の返済も五年目からでよいという、かなり柔軟な対応です。ここには東日本大震災をはじめとする過去の災害の経験が活かされています。コロナ禍が長期化するなら、むしろ二重ローンや債権処理の方法を棚卸しすべきです。東日本大震災のときには、立法で事業継続する事業者の負債や二重ローン対策のスキームが複数走りましたが、たとえば今回は廃業も含めるなど、それこそ立法で大胆に対応できないのかと考えます。

辻田　たしかに貸付条件はふつうではありえないくらいゆるくなりました。しかしそうなると、これほどさまざまな対策が打たれているのに、なぜ「日本の政府はケチだ」という雰囲気になっているのかが気になります。

西田　それはまさに政府の広報の問題と関わっています。根本的な問題は、補助金や助成金の仕組みをつくっている当の役人たちすら、ほとんどがその全体像を理解していないことです。厚労省は厚労省の、総務省は総務省の、経産省は経産省と中小企業庁の支援をそれぞれ担当していて、総体を把握しているのは内閣官房にいるごくかぎられたひとたちだけです。メディアもそれらの制度をバラバラに報道し、生活者の感情に寄り添いそれを後押ししようとするばかりなので、助成事業自体は林立しているのに、全体を見通せない状態になっているわけです。メディアは第一報にニュースバリューを求めがちで政策解説の優先順位は高くありません。

辻田　逆に言えば、日本は情報に精通したいわゆる「情報強者」ばかりが得をする仕組みになっているように思えます。

西田　たしかにコロナ対策の支援がいくつもあり、くわえて失業保険、中小零細企業向け控除や補助金、共済など通常の支援ももちろんあるので、そのすべてを把握しているひとが得をしやすいことは否定できません。ただ政府が情報を隠しているというわけではまったくなく、いまでは首相官邸のウェブサイトの情報が最も整理されているくらいです。こういうことを言うと政権に擦り寄っていると批判されるかもしれませんが、メディアも首相官邸のサイトを紹介すればいいと思います。

辻田　安倍首相は会見でその情報こそを発信すればいいと思ってしまいます。個人が経営する飲食店や小劇場、イベントスペースがどんどん閉鎖されていっている状況も、情報不足が原因ではないでしょうか。

西田　原因のひとつではあるでしょう。ただそれ以外に、日本では借金に対する拒否反応が根強いという要因もあると思います。それから税金対策のため、なるべく会計上の利益を小さく見せる独特の経営文化も影響しているはずです。赤字になっている会社には金融機関もなかなかお金を貸しません。そうなると現金をあまり持たない状態でいることも多くなってしまいます。するとこうした危機に際して手元資金に窮してしまうこともありえるでしょう。

辻田　普段から自転車操業的に事業を回しているので、今回のような例外的な状況になると一気に苦境に陥ってしまう、と。だとすると、たしかに無利子、無担保の貸付をとりあえず借りておいたほうがいいというのは納得です。

西田　自動車会社や航空会社などの大企業は、信用枠の確保も含め、手元資金の不足に対してかなりまえから対策を取っています。しかし日本の多くの雇用を担っているのは中小企業です。日本には中小企業が四〇〇万社弱あるので、それを支えてあげないと人々の生活が壊れてしまう。だから中小企業対策を迅速に行うことが、日本の災害時における鉄則なのです。緊急の貸付が早い時期から行われたのも、こういった理由があります。

辻田　では海外の諸国と比べて、コロナ禍における日本の中小企業支援は充実していると言えるのでしょうか。

西田　充実しています。ここまで見てきた国の支援に加え、自治体も独自の支援を上乗せしています。これらは各都道府県の産業振興課のような部署のウェブサイトに掲載されているはずです。そもそもコロナ対策だけにかぎらず、日本の中小企業への支援は平時からかなり手厚いんです。たとえば日本の中小企業に対する税率は、イギリスと並んで先進国で最も低いレベルです。失業者支援に焦点を当てても、失業保険の予算規模はかなり大きい。それも踏まえると、コロナ対策を他国と単純に比較することはむずかしいわけです。

辻田　ますます情報発信がうまく行っていないように思えてきました。事業者に制度が伝わっていないこと以前に、制度の全体像を捉えることもむずかかしい。日本は経済的な意味での自己責任国家というより、情報収集の自己責任国家になっていると言えるかもしれません。

西田　逆に日本の中小企業政策の短所を挙げると、手厚さのわりに企業の成長や発展に貢献しているか怪しく、むしろスポイルしている可能性すらある点です。そもそも中小企業基本法は一九六〇年代につくられています。このころは鉄鋼業のような巨大な先進企業と、設備が古い中小企業との格差が大きく、二重構造があると言われていました。中小企業基本法はこれを是正するためのものです。一九九九年には「選択と集中」を目指す方向で抜本改正が行われたのですが、それまでに施行されていた政策は走りつづけて中途半端なものになりました。すでに述べたように、地方の中小企業は自民党の票田でもあり、業界団体もまた自民党支持ですから、補助金を削減するなどの現状の大きな変更が好まれないという事情もあります。それから「起業家の時代」というイメージと異なり、自営業、個人事業主は近年減少しつづけ、日本における雇用者率は九割に近づいています。

辻田　新自由主義になったいまでも、古い時代の制度が維持されているわけですね。高齢者福祉と同様の問題です。しかしその手厚さだと、今度は財源・が気になります。一律給付はポピュリズム的政策だという話でしたが、これほどいろいろな補助金制度をつくって、予算は大丈夫なのでしょうか。

西田　東日本大震災のときの例を考えるといいと思います。当時、復興のためにさまざまな目的で復興予算が組まれました。この財源は、当時も断行されコロナ禍でも行われる公務員の給与カットなどでは到底賄えないので、所得税や法人向けの増税が行われました。この復興特別税は二〇三七年まで続く予定です。

辻田　いまでも確定申告をすると、復興加算分が記載されています。

西田　同じ規模で考えるべきではありませんが、震災もコロナ禍も非常時にお金を拠出するケースなので、参照はするべきでしょう。そのときに問題なのは、臨時的な増税を行うこと自体ではなく、そこから得た予算が適正に運営されるかどうかです。復興特別税については、安倍政権になった直後に、景気対策という名目で法人税のみ前倒しで終了しました［★17］。これは大変な問題です。日本の経済界は、内部留保を過去最大水準に増やしながら、社会の重荷をシェアする気がないとも言えます。そもそも法人税減税実施前のほうが、日系企業は世界で評価されていたわけですが、いったいいつになったら世界で存在感を取り戻してくれるのでしょうか。たぶん経済界にとって、市民社会はあまり関係ないんですよね。こういうことがないように、しっか

★17　復興特別法人税は二〇一三年一二月に閣議決定された二〇一四年度税制改正大綱において廃止された。

りチェックする必要があります。

アベノマスクと自粛警察

辻田 四月に入ると安倍首相から一世帯あたりマスク二枚を配布するという発表がありました。いわゆる「アベノマスク」です。エイプリルフールの日にこの発表があったので、ほんとうに冗談なのかと思ってしまいました。ちなみに対談収録時現在、わたしの家にはまだ届いていませんが、ゲンロンカフェには届いています。地域によって配達の時間差があるようです。アベノマスクをめぐっては各方面で話が紛糾しました。四月二日には、官邸官僚が「全国民に布マスクを配れば、不安はパッと消えますから」と言っていたことが報じられ、翌三日にはマンガ家の浦沢直樹さんがマスクをつけた安倍首相のイラストを投稿して、賛否が巻き起こります。この絵は風刺画というわけでもないので、これを許せないひとたちは狭量にも思えてしまいます。

西田 当初からマスクが小さいことが話題になっていて、実際に小さく描かれています。支持者からするとバカにしていると感じたのかもしれません。

辻田 のち四月一七日の五回目の会見では、アベノマスクの全住所配布に批判的な質問をした朝日新聞の記者に対して、首相が「朝日新聞のウェブ通販でも三三〇〇円でマスクが売られている」という反論をしています。そういう問題ではないだろうと思うのですが……。

西田　さらにその後「三三〇〇円マスク」の製造元がある大阪の泉大津市の市長が、官邸にそのマスクを贈るというエピソードもありました。むしろ、こういう商魂たくましい首長には好感を持ちます（笑）。

辻田　この時期の出来事としてひとつだけ、コロナに関係のない政治とメディアに関する話題を紹介します。四月四日に北海道警が、ヤフーニュースのコメント欄（ヤフコメ）を裁判の証拠として提出したというニュースです。裁判で争われていたのは、安倍首相が演説しているときに北海道警が「配慮」としてヤジを排除したことが問題になった事件です［★18］。ヤフコメは差別や誹謗中傷が多いことで有名で、ヤフーはこれを閉鎖すべきだという声も大きい。それでも閉鎖をされないのは、やはりビジネス的な背景があるのでしょうか。

西田　ビジネスモデルは関係していると考えられます。ヤフーは公共性が高いプラットフォームですが、モバイル対応の遅れや利用者層の高齢化、競争環境の激化に危機感を覚えた結果、近年、収益事業に大きく舵を切っていま

★18　二〇一九年七月に北海道で行われた安倍首相の街頭演説で、ヤジを飛ばした男女が警察官によって排除された事件を指す。警備方針に「警護に当たっては、警察の政治的中立性に疑念を抱かれることのないよう十分配意すること」という文言が含まれていることが判明し、ヤジの規制が表現の自由の侵害にあたると問題になった。この裁判で警察側は、「排除」ではなく周囲の自民党支持者から「避難」させたのだとしたうえで、「大声で叫び普通に演説を聞きたい人々を妨害し迷惑をかける行為は全く共感しません」「静かに聞きたい聴衆の邪魔をするような人間は排除されて当たり前」という内容のヤフーコメントを証拠として引用した。

す。ヤフコメのひとたちはおそらく、ヤフー内の記事を巡回して、あちこちで書き込みをしているでしょう。当然、滞在時間も長くなるはずです。だとしたら、彼らはヤフーのウェブ広告の価値を大きく見せうる存在です。それは簡単には閉鎖できないのではないでしょうか。しかしヤフーも無策というわけではなく、AIと人力の両方でコメントを巡回し、削除などの対応をしているようです。それでも追いつかないほど誹謗中傷が多いのでしょう。

辻田　ヤフコメは仕事を引退したような世代のひとたちが、「いいね」をもらうために書き込んでいるイメージです。そういうユーザーは購買力もあるから、メディアにとっても捨てきれない。広告のクリック率も高いのかもしれません。

西田　そういったシニアへの訴求力も含めて、ヤフーはテレビに似ていて、幅広い世代に見られていると思います。

辻田　たしかに四月以降の国内の状況を見ると、ヤフコメがある種の時代感覚を反映しているようにも思えてしまいます。

四月七日の安倍首相の第四回記者会見で、七都府県を対象に緊急事態宣言が発令されるという大きな出来事がありました。すると普段の抑圧が解除されたかのように、差別的な事案が数多く起こります。学生がコロナウイルスに感染した京都産業大学に、「殺しに行く」、「名前を教えろ」、「火を付ける」というような脅迫電話がありました。この学生は三月にヨーロッパに旅行をしたそうなのですが、当時、ヨーロッパは安全だとされていました。にもかかわらず、都合よく標的にされてしまい、案の定、ヤフコメなども荒れに荒れました。

西田 学生たちに恐怖を与えるだけでなく、大学にとっても威力業務妨害にあたります。端的に犯罪です。

辻田 同じ日には、香川大学の入学式で、緊急事態宣言の対象となっている都府県に、過去一四日以内に滞在した新入生の出席を拒否するというニュースがありました。あるいは愛媛県の小学校では、長距離トラック運転手の子どもに登校をさせないよう要請したというニュースも報じられます。この時期には、京都で感染者に対する中傷の貼り紙が貼られる、東京でスポーツクラブのドアに男が「まだ営業しているのか」と蹴りを入れるなど、たんなる人権侵害や営業妨害としか言えない話題が続きます。

西田 戦中を彷彿とさせますね。「他者の事情」を慮る力が決定的に欠落していて、こうして見るだけで暗澹たる気持ちになります。

辻田 さらにこのタイミングで、糸井重里さんが「責めるな。じぶんのことをしろ」というツイートを投稿したことも、政府への批判を慎めと言っているようだと炎上します［★19］。このツイートは「足らぬ足らぬは工夫が足らぬ」のような標語を想起させます。

西田　こういうときにも批判精神が大切なのは言うまでもないことです。

辻田　またこの時期、警察関係のニュースも数多くありました。四月九日には神奈川県が外出自粛の見回りのため県警に協力を依頼していますし、翌一〇日には歌舞伎町で警察が「声かけ」を実施したことが報じられました。警察官は警棒を手に話しかけていた。これはもう圧力と言うしかありません。

西田　警察が動くと一般のひとに強いプレッシャーを与えるので、これはよくないでしょう。ただ制度だけを見れば、新型インフルエンザ特措法に、各都道府県対策本部は「警視総監又は道府県警察本部長」をメンバーとするという規定があるので、警察がある程度の対応をすることはおかしなことではありません［★20］。ちなみに今回の緊急事態宣言とは別に、警察法にも「緊急事態の特別措置」という項目があり、そちらでは総理大臣は直接警察庁長官に命令できます。国会に対しては事後的な報告承認でよいという仕組みです［★21］。

辻田　しかし実際問題、警察官が「どちらにお出かけですか」と警棒を手に

★19　自身の「わかったことがある。／新型コロナウイルスのことばかり聞いているのがつらいのではなかった。／ずっと、誰がが《ママ》誰かを責め立てている。これを感じるのがつらいのだ」という投稿を引用するかたちでのツイート。URL=https://twitter.com/itoi_shigesato/status/1248079489684267008

★20　第二三条第二項に以下の記述がある。

都道府県対策本部に本部員を置き、次に掲げる者（道府県知事が設置するものにあっては、第四号に掲げる者を除く。）をもって充てる。

一　副知事
二　都道府県教育委員会の教育長
三　警視総監又は道府県警察本部長
四　特別区の消防長
五　前各号に掲げる者のほか、都道府県知事が当該都道府県の職員のうちから任命する者

して尋ねるのは、恐ろしい事態です。戦前は警察が緊急事態にすぐ対応できるよう、公衆衛生も担当していました。今回の件はそれを思い出させます。

西田　「声かけ」自体が戦前の内務省の伝統というか、日本的な治安維持の技法だと思います。いわゆる職務質問には、警察官職務執行法によって条件が定められています。なのでそれに抵触しない範囲で「声をかけた」ということにする。ちなみに海外で緊急事態宣言や戒厳令が出た地域では、軍隊が治安維持を担っていることも多いです。たとえばアメリカでは州軍がそれにあたります。

辻田　日本でいきなり自衛隊が出てくることはないですよね。

西田　自衛隊が治安出動をしたことは一度もありません。間接侵略や内乱のような事態が起きたときのみ出動することになっています。かわりに日本では警察力がとても強く、基本的な治安維持はほぼ警察が担っています。警察官僚の佐々淳行さんや後藤田正晴元官房長官の手記を読むと、治安維持の手法がいろいろ書かれており、たとえば学生運動のころ、どんどん学生を捕まえて留置場が足りなくなったという話が紹介されています。そのときには警察署の廊下に、手錠をかけずに放置しておいたのだそうです。法的にはクロに限りなく近いグレーの領域でしょう。でも、そうすると、自分の処分がわ

★21　警察法「第六章　緊急事態の特別措置」を指す。「第七十一条　内閣総理大臣は、大規模な災害又は騒乱その他の緊急事態に際して、治安の維持のため特に必要があると認めるときは、国家公安委員会の勧告に基き、全国又は一部の区域について緊急事態の布告を発することができる」、「第七十二条　内閣総理大臣は、前条に規定する緊急事態の布告が発せられたときは、本章の定めるところに従い、一時的に警察を統制する」、「第七十四条　内閣総理大臣は、第七十一条の規定により、緊急事態の布告を発した場合には、これを発した日から二十日以内に国会に付議して、その承認を求めなければならない」などの条文を含む。

からず不安な気持ちに駆られて、勝手に反省するのだといいます。

辻田　嫌なことを考えますね。たんに心理作戦だというだけでなく、法律にもとづいた権力行使ではないから、根拠となる文書もないし、責任を取ることもない。

西田　逮捕しているわけでもないから、抵抗しようもないわけです。警察は治安維持という名目で、社会にプレッシャーをかけるさまざまなノウハウを持っているようです。ちなみに、彼らの手記には、その技術を諸外国の警察に提供している様も描かれています。

辻田　警察による声かけ以外にも、社会的な圧力が増大していきます。緊急事態宣言によりネットカフェが閉鎖し、いわゆる「ネットカフェ難民」が外に放り出されました。そのひとたちの臨時の宿泊施設を自衛隊が訪ね、勧誘を行なったというニュースがありました。似たような話として、東京都がアーティスト支援のため、アーティストに報酬を支払って動画を制作してもらう事業を行うと発表しました［★22］。内容への口出しがあるのではないかという懸念が出ています。

西田　内容の検閲はもちろん好ましくないですが、アーティストに仕事の機会をつくるのは悪い案ではないと思います。仕事を生むという意味では、休

★22　東京都が行なった「アートにエールを！　東京プロジェクト」を指す。幅広い分野・職種のプロのアーティストから「自由な発想を基にした動画作品」を募り、アーティストに出演料としてひとりあたり一〇万円を支払う内容。投稿された動画は以下のサイトで公開されている。URL=https://cheerforart.jp/

業に陥った民間のホテルを稼働させて、無症状、軽症の感染者の宿泊施設として使うこととも似ています。

辻田　この時期のコロナ広報には、アーティストや有名人を起用する例が出てきます。四月一〇日にはユーチューバーのヒカキンさんが「小池都知事にコロナのこと質問しまくってみた」という動画を投稿し好評を博しました。対照的に、星野源さんの弾き語り動画「うちで踊ろう」に、安倍首相が自宅でくつろぐ様子を並べた「コラボ」動画——実際は便乗というべきですが——は大変不評でした[★23]。広い室内で紅茶を飲み、犬を抱えながらステイホームを訴えられても、「勘違いセレブ」のような印象を受けるだけだったと思います。

西田　あの動画については、たんに配慮が足りなかったと思います。情報戦略としては若いひとに媚びてスベった以上のことではないでしょう。安倍首相が実際に室内でくつろぐだけで仕事をしていないわけではありませんから、まじめに政治のことを考える人間であれば気にしなくていい話だと思います。どうでもよい失敗キャンペーンです（笑）。

辻田　ちなみに同じころ、安倍昭恵夫人が三月中旬に団体で大分旅行をし、集団で宇佐神宮に参拝していたことが明らかになります。その際に「ドク

★23　「うちで踊ろう」はミュージシャンの星野源が二〇二〇年四月三日に自身のインスタグラムに投稿した弾き語り動画。「誰か、この動画に楽器の伴奏やコーラスやダンスを重ねてくれないかな？」というメッセージが付されており、アーティストや俳優、お笑い芸人、一般人も含む多くのひとが、星野の映像の横に自らの歌やダンスを並べる「コラボ」動画をアップした。日本語、英語、中国語の歌詞が掲載された特設サイトも開設されている。URL=https://hoshinogen.dancingontheinside.com/

　この流れのなかで、安倍首相も自身のツイッターアカウント・首相官邸のインスタグラムに同様の動画を投稿（URL=https://twitter.com/AbeShinzo/status/1249127951154712576）。自宅でくつろぐその内容が批判を浴びた。星野はこの動画について「これまで様々な動画をアップして下さっている沢山の皆さんと同じ様に、僕自身にも所

タードルフィン」なる人物主催のツアー一行が同行していたことも話題になりました。そのツアーのパンフレットには「超プレミアム高次元DNAコード『卑弥呼の神聖大和魂コード』を、参加者全員にコードインプレゼント」なる怪しい文言が書かれていますが、昭恵夫人もプレゼントされたのでしょうか（笑）。

西田　旅行の前日には、安倍首相が記者会見で「［三密に］最大限の警戒をしていただきたい。自らの身を守る行動を」と述べています。その直後にマスクをせずに五〇人くらいのひとと「密」の状態で写った写真が出てきた。批判されるのは当然ですね。

辻田　第一章で昭恵夫人は自民党のプロパガンダの外にあるという話がありました。今回の件を見ると、やはりそう見るのが自然でしょうね。

存在感を増す知事たち

辻田　その後もコロナ禍は広まりつづけ、四月一六日には緊急事態の対象が全国に拡大されました。もともと指定されていた七都府県はほかの六道府県を加えて「特定警戒都道府県」ということになります。

属事務所にも事前連絡や確認は、事後も含めて一切ありません」と述べている。

西田　さきほど議論した一律一〇万円の特別定額給付金が決まったのもこの翌日です。

辻田　対象地域の拡大に呼応するように、市民の相互監視も強化されます。和歌山市では同日に、パチンコ店やカラオケ店などの県外ナンバー車の数を監視し、県や国に報告するというニュースが出ました。

西田　そもそも車のナンバーの地名は、住んでいる地域と完全には一致しません。大阪ナンバーの車が東京で走っていても、旅行者とはかぎらない。ほんとうに無意味で、人々の差別感情を掻き立てるだけの施策です。

辻田　たしかにこのニュースが出たせいで、県外のひとを攻撃することを、行政が認めたような風潮が生まれてしまいました。さらに自警団的な動きから身を守るために、徳島県では県内在住者であることを示すステッカーまで販売されます。岩手県の花巻市では、東京からの転入者をマンションの管理組合が拒絶し、さらに市役所も転入届の受理を拒むという出来事が起きました。そのために仕方なく住んだ仮住居で火事が起き、その方は亡くなってしまいます。ほんとうに最悪のニュースです。

西田　顕在化していないだけで、大学関係でも問題含みのさまざまなコロナ対応が行われました。ほかの地域から引っ越してくる予定の学生に地元にとどまるよう指示を出したり、留学生を二週間待機させたりと移動の自由が奪われています。

辻田 すこしあとには、安倍首相がゴールデンウィークには帰省をせず「オンライン帰省」で済ませるように呼びかけています。日本の緊急事態宣言はあくまで要請ですから強制力はないものの、移動の制限という平時なら大問題になることが、平然と行われてしまいました。

こうした移動の制限や補助金の支給に伴って、良くも悪くも一部の知事の存在感が増したのがコロナ禍下の政治の特徴です。さきほど見た鈴木北海道知事のほかにも、たとえば広島県では湯崎英彦知事が、県職員の特別定額給付金を徴収し、県のコロナ対策の財源として用いると発表しました（翌日撤回）。いっぽう、大阪府では、吉村知事が、コロナ関連の支援を受けた事業者を公表すると発表しました。大阪府は公金が入ったら晒して当然という考えなのかもしれませんが、これは事業者にとってはもちろん圧迫です。

西田 大阪府は休業要請に応じないパチンコ店の店名も公表しました。むしろ繁盛したという店もあった一方で、中傷の電話が大量にかかってきて休業した店もあります。まさに辻田さんの言う「空気」による統制を意図したものなのでしょう。法律的には問題がないのかもしれませんが、日本では名前を晒すということは攻撃をしてもいいというエクスキューズになってしまう。
各首長のコロナ対応については、雑誌『ＡＥＲＡ』（二〇二〇年四月二七日号）で五段階の評価をする企画があり、ぼくも参加しました。対象としたのは、小池都知事、大村愛知県知事、吉村大阪府知事、鈴木北海道知事に、安倍首相を加えた五名です。実際には、首相と首長、さらには都市部と地域などあまりに基準がちがいすぎて、ほとんどお遊び企画と言わざるをえないんですけどね……。

辻田　西田さんはどのような基準で評価をしたのでしょうか。

西田　政治家が自ら考えて迅速に意志決定をしたかどうかを勝手に尺度にしてみました。このような基準を設けた理由には、やはり前述の改正新型インフルエンザ特措法がありました。この特措法では、外出の自粛や休業を要請する権限は、おもに都道府県知事にあるとされています。したがって独自の対応をしようと動いたひとを高く評価しています。

辻田　具体的にはだれの評価が高いのですか。

西田　一点から五点までをそれぞれの首長に割り振る相対評価で、小池都知事に五点をつけました。はじめこそ「ロックダウン」「オーバーシュート」などのカタカナ語を乱発して混乱を生んだものの、そこからのスピード感のある意志決定により立て直したからです。独自の給付金を開始したのも高評価でした。続く四点が鈴木北海道知事です。北海道は最初期にコロナウイルスの感染が広がりましたが、そのなかで独自の「緊急事態宣言」を発したことを評価すべきというのはさきほども言ったとおりです。吉村府知事も同様に自ら動いたという点で三点をつけました。残るふたりはその裏返しで、安倍首相は会見でも原稿を読んでばかりなので二点、大村県知事は国に対応を求めるばかりだったので評価を下げました。

辻田　一方でその評価基準では、ポピュリスト的な独自政策を打ち出し話題を集めた政治家が高い評価になってしまうようにも思います。

西田　しかし繰り返しになりますが、これが特措法の精神を尊重した基準です。地域に応じた対策を行おうとすると、各都道府県知事が目立つことになる。だから大衆的な人気と評価が一致しているだけです。それにこのランクづけそのものは、右からも左からも評判が悪く、まったくポピュリスティックなものになりませんでした。右からは安倍首相や吉村府知事の評価の低さで叩かれ、左からは大村県知事の評価が低くポピュリストに甘いと叩かれています。いつも両サイドから叩かれてしまいます（笑）。

辻田　たしかに西田さんが高く評価する小池都知事は、平時には存在感が希薄でしたが、緊急事態宣言下でかなりの存在感を発揮しました。小池都知事が会見で言った「密です」というフレーズが人気になり、彼女を主人公にした「密ですゲーム」というフリーゲームが個人制作されたほどです［★24］。

西田　それはおもしろいですね。まったく知りませんでした。

辻田　政治家にも平時に強いひとと危機に強いひとがいると感じます。うまく行くかわからない博打を、強権的なやり方で実行するような政治家が、危機になると求められるということでしょうか。思い起こせば、ヒトラーも博打打ちのような政治家でした。危機的な状況を背景に権力を握り、ラインラント進駐、オーストリア併合、ズデーテン割譲などを矢継ぎ早に行なって、人気を集めました。しかしそれは、賭けを外すと一発で国が破綻してしまう危険と隣合わせなので、そういうタイプの政治家は恐ろしいとわたしは思います。

西田　もちろん小池都知事は、博打打ち的な、危なっかしいところもあると思います。レイシスト的な側面があることも無視できません。しかしコロナ対応にかぎって言えば、一定の評価すべき点があるとも考えています。政策そのものだけではなく、意志決定のプロセスという意味でも、地方自治体には専決処分という、緊急の場合にかぎって議会の決定を待たずに予算を組む

★24　小池都知事の進路上のひと混みを、画面をタップすると現われる「密です」という吹き出しで散らしていく縦スクロールゲーム。都知事の周囲のソーシャルディスタンスを示す円内にひとが入ると「MP（マスクポイント）」が減っていき、ゼロになるとゲームオーバー。マスクニ枚を持った安倍首相も登場し、触れるとMPが回復する。個人サイト「ゲーミングチャーハン」で提供されている。URL=https://gamingchahan.com/mitsudesu/

ことができる仕組みがあります。これを使って合法的に、迅速な独自の対策を打ちました。ただ一気に剰余金を吐き出してしまいました。

辻田　なるほど。では評価をつけた四人の知事のほかに、独自の対策を打ち出した自治体はあるのでしょうか。

西田　東北のいくつかの自治体は連携して、「東北・新潟緊急共同宣言」という独自の緊急事態宣言を出しています。全国一律の緊急事態宣言が出たあとに出された点は評価を下げますが、各地方のことは中央よりもその地方の首長のほうがわかっている以上、独自の宣言は出したほうがいい。さきほども触れたとおり、新型インフルエンザ特措法は、二〇一二年に民主党政権がつくった法律です。民主党は地方分権を進めていたので、知事の裁量がかなり大きい法律になっています。そのうえで、国ができること、都道府県知事ができること、市区町村長ができることを分けるという補完性原理が意識されている印象です。二〇〇九年の新型インフルエンザ感染拡大時の首長からの不満も反映したとされています。

辻田　つまりこの特措法は、地方の知事に権限を与えて判断を促す法律である、と。しかし実際には、市民がみなネット上の情報を見て恐怖し、自分の地域も緊急事態に指定しろと知事をあおるような格好になってしまいました。

結果的に下から突き上げられるかたちで、給付金も緊急事態宣言も全国一律になっています。

西田 もちろん新型インフルエンザ特措法そのものにも問題はあります。地域レベルでの感染拡大が想定されていて、今回のような全国規模で感染が広がるウイルスに対する想定は甘かったと思います。また年をまたぐ感染への社会経済的対策も十分ではない印象です。逆に各地域の対応を促す法律だったからこそ、第一波では各地方都市のなかではあるていど感染を防ぐことができたとも言えます。とはいえ三月の特措法改正の際には、もうすこし多様なシナリオを想定してもよかったかもしれません。

ロックダウンと憲法改正

辻田 ここまで各地域の首長が独自に判断することの重要性について話してきました。しかしその一方で、日本のように市民社会が未成熟な国では、行政の決断が暴走しても、歯止めをかけられないのではないかという懸念が残ります。たとえば今回のコロナ禍では、山形県が県境での検温を実施しました。あの試みは日本では、監視社会化として批判を受けるどころか、市民が自ら県外ナンバーをチェックするような、空気による抑圧や嫌がらせ――いわゆる自粛警察――につながります。

西田　それは悩ましい問題です。吉村府知事がパチンコ店の名前を晒した例も同様ですね。そもそも、日本のコロナ対策は自粛と要請によって行われているのだから、各自が状況にあわせて考え行動すればいいはずです。自分と異なる選択をしたひとを攻撃するのはおかしいですね。しかしその日本的空気が、不愉快ですが、強制力を伴わない行動変容の前提にもなっています。

辻田　日本は、市民に自宅待機を強制できないにもかかわらず、ここまで感染を抑制できているのだから、本来であれば誇るべきことだったはずです。けれども、同調圧力による攻撃のせいでとてもそうは言えなくなってしまいました。

西田　それどころか、日本に強権的措置が乏しいことを問題視する議論すらありました。法律や条例改正で強制力強化を目指す向きもあります。アメリカやヨーロッパ、韓国のような都市封鎖を求める声が市民から上がっています。

辻田　しかし現行憲法下で、そのようなことができるのでしょうか。

西田　憲法はいわゆる居住の自由と移動の自由を認めており、法律は憲法に違反できないため、強制的な都市封鎖は不可能に近いはずです。諸外国を見ると、たとえばアメリカでは、国家緊急事態に関する規定があり、これによって有事に際して大統領や知事の権限を拡張することができます。あるいは韓国や台湾のような準戦時体制の国・地域は、軍隊に三権を集約させることができるので、ロックダウンができる。ただ制度以上に、国家の緊急事態であれば主権を制限してもよいという国民的理解があるかどうかが大きいです。個人の自由の制限に対して日本以上に厳しいヨーロッパ諸国では、コロナ禍について戦争の比喩がよく使われました。これはコロナ禍が第二次世界大戦以来の緊急事態だという国民理解を得るためでしょう。つまりこれはナショナリズムに関する問題でもあります。日本でも、小池都知事が自衛隊の災害派遣を要請し、河野太郎防衛大臣が応えて、自衛隊が活動しています。でも、その後、要請はひっそりと一週間で解除されました。

辻田　第二次世界大戦に勝った国々は、緊急事態を想定した仕組みを持っているところが多いのではないでしょうか。逆に日本は、過去への反省から非常に慎重に制度がつくられている。

西田　その慎重さはほかの法律にも言えることです。今回、日本では新型インフルエンザ特措法を改正してコロナに対応しましたが、感染症対策のもうひとつの基礎となる感染症法もまた非常に慎重につくられています。それは現行の感染症法が、かつて存在し隔離をはじめとする人権抑圧が行われた、らい予防法の反省を踏まえているからとされています。ほかに原子力災害対策特別措置法や災害対策基本法も、過去の反省を活かしたつくりになっています。

辻田　では法律を改正するのではなく、アメリカが大統領の権限を拡大するのと同じように、首相の権限を拡大して都市封鎖が行われる可能性はないのでしょうか。

西田　そちらもかなりむずかしいと思います。というより、法律の改正なしに首長の権限を増大することは日本ではできないのです。日本では新型インフルエンザ特措法で政府、首長の権限を規定する形式を取っていますが、法律はやはり憲法によって縛られています。それゆえ過去に自民党は緊急事態対応のための憲法改正を、野党も類似の非常事態法制を提案したことがありますが、具体化には至りませんでした。

辻田　だとすると、都市封鎖を望むひとから憲法改正の議論が出る意味は理解できます。西田さんは緊急事態のために改憲を行う議論についてはどう思いますか。

西田　いまやるべきではないでしょう。さきほど伊吹元衆院議長による「緊急事態を改憲の実験台に」という発言がありましたが、憲法改正は有事に乗じて考えるのではなく、平時に熟慮して考えるべきです。

辻田　わたしは平時であっても、成熟した議論ができる環境が整わないかぎり、改憲は支持できない立場です。

西田　市民が自己決定をし、かつそのことを尊重できる政治文化が前提にならなくてはいけません。そのうえで、自己決定と自己責任を区別し、自己決定を尊重しつつ自己責任論に陥らないパターナリスティックな政策を採用できる政府も必要でしょう。この両方が揃っていなければ、憲法改正の議論はできないと思います。

辻田　日本ではリベラルほど改憲に反対する声が強いです。その一方で、コロナ禍にあってはリベラルや野党の側が政権により強い対応を求めるという矛盾がありました。

西田　野党はなかなか一貫した政治的立場をつくれないままでいますね。立憲民主党などは前身の民主党時代から、護憲を主張するわけでも、改憲を主張するわけでもなく、はっきり言って意味不明です。

辻田　しかし西田さんが二点をつけていたとおり、コロナ禍下の安倍首相もけっして評価できるものではありませんでした。彼の会見での話しぶりは、演説がうまいほかの国の政治家と比較して、ロボットのような印象を受けます。ジャーナリストの神保哲生さんによれば、三月末に開かれた三回目の会見では、記者から想定外の質問があると官邸官僚がスマートフォンをすごい勢いで打っていたようです。神保さんは、首相は官僚が打ち込んだ回答を壇上のモニターで確認しながら対応していたと推測しています［★25］。平時からやらせのような会見ばかりやっていたツケが、非常時に回ってきたのではないでしょうか。

西田　公の場で政治家がきちんとコメントをする政治文化が育っていないですね。例外的に、日本でも橋下徹さんや舛添要一さんは演説がうまいです。橋下さんは元弁護士なので、法律をはじめさまざまな分野に詳しく、アドリブが効きます。舛添さんは憲法改正についての著作も非常にわかりやすいですし、今回のコロナ禍でもなかなか興味深い発信をしていると思います。

辻田　舛添さんは、都知事としてはつまらない問題で辞任に追い込まれました。先日、『ヒトラーの正体』（二〇一九年）という著作がドイツ史の専門家によってやり玉に上げられていましたが、ユダヤ問題に対する見識などはきわめてまっとうです。関東大震災で虐殺された朝鮮人犠牲者追悼式に追悼文を

★25　神保は自身のサイトで、安倍首相のスピーチライターの佐伯耕三秘書官が、神保の質問の際に「必死になってスマホにテキストを打」っていたことなどから、首相の「目の前のモニター［……］にキーワードが打ち込まれてきて、それを総理自身の理解している範囲でつなげ」て回答していたのではないかと推測している。「総理会見、7年目にして奇跡が起きる！」、『ジャーナリスト　神保哲生　official blog』、二〇二〇年四月五日。URL=https://www.jimbo.tv/commentary/465/

送らない小池都知事とはちがい、越えてはいけないラインがわかっている政治家だと思います。

西田　高い専門性とそれをわかりやすい言葉で伝えられる政治的能力を持ちつつ、自己責任論にも陥らない政治家は、日本ではほんとうに少ないです。

辻田　コロナ禍によって、われわれの社会の未成熟ぶりが明らかになったと整理できそうです。情報発信のあり方についても、従前あれだけ議論されていたにもかかわらず、やはり混乱してしまいました。このような事態を繰り返さないためにも、政治とメディアをめぐる問題は、しっかり振り返っておく必要があると思います。

5

安倍政権とは なんだったのか

2020年9月3日

突然の辞任劇

西田　二〇二〇年八月二八日、安倍首相が辞任の意向を表明し、日本中に衝撃が走りました。二〇一二年一二月から続いた第二次安倍政権は、憲政史上最長の政権となりました。最終章ではその七年八ヶ月の在任期間を振り返り、政治とメディア、そして広報のあり方についてあらためて考え、安倍政権とはなんだったのかを総括したいと思います。

辻田　会見によれば辞任の理由は自身の体調不良で、新型コロナウイルスの感染者数増加がすこし落ち着いたタイミングを見計らい発表をしたということでした。

あまりに長期の政権だったこともあり、どういう切り口で議論していけばよいかはなかなかむずかしいところです。しかし、先日対談した際に津田大介さんが言っていたのですが［★1］、第二次安倍政権は二〇一五年の安保法制をさかいに、前期と後期に分けられるのではないかと思います。二〇一二

★1　当該の対談はのち、津田の配信するメールマガジンに収録された。「菅内閣の発足で保守論壇の〝空気〟は変わるか――空洞化が進む論壇のあるべき姿を考える」、『津田大介の「メディアの現場」』vol. 411、二〇二〇年一〇月。

第二次安倍政権前期	2012年12月	第二次安倍政権発足。キャッチコピーは「危機突破内閣」 「3本の矢」による経済政策は「アベノミクス」と呼ばれるようになる
	2013年1月	『新しい国へ――美しい国へ　完全版』刊行
	4月	公職選挙法改正。インターネットでの選挙運動が合法化。翌々月トゥルース・チーム発足
	7月	第23回参議院選挙。自民党議席数は84→115
	9月	2020年オリンピック・パラリンピックの開催地が東京に決定
	11月	NHK経営委員会に百田尚樹氏が就任。翌々月 籾井勝人氏がNHK会長に
	12月	特定秘密保護法成立
	2014年5月	内閣人事局設立
	7月	憲法の解釈変更を閣議決定。集団的自衛権行使を容認
	11月	沖縄県知事選で翁長雄志氏が初当選
	12月	「アベノミクス解散」に伴う第47回衆議院選挙。自民党議席数は293→291
	2015年3月	学習指導要領を改定。道徳の教科化が決定
	8月	戦後70年の首相談話を発表
	9月	安保法制成立
		首相会見で「新・3本の矢」による「一億総活躍社会」を目指すと発表
	12月	慰安婦問題で日韓合意
第二次安倍政権後期	2016年7月	第24回参議院選挙。自民党議席数は115→121 衆参両院で改憲勢力が3分の2を超える
	9月	南スーダンでの自衛隊の活動について情報開示請求 翌年にかけて公文書の隠蔽が追及される
	2017年2月	森友学園への格安での土地払い下げが発覚
	5月	加計学園の獣医学部新設への安倍首相の関与が疑われる
	6月	望月衣塑子記者、菅官房長官の記者会見に出席するように
		いわゆる「共謀罪」を盛り込んだ改正組織犯罪処罰法が成立
	10月	第48回衆議院選挙。自民党議席数は284→284
	2018年1月	安倍首相、「働き方改革関連法案」について答弁。翌月根拠となるデータのねつ造が発覚
	3月	森友学園問題問題をめぐる公文書改竄が発覚
	2019年4月	菅官房長官が新元号「令和」を発表。翌月改元
	7月	第25回参議院選挙。自民党議席数は122→113。改憲勢力が3分の2を割り込む
	11月	「桜を見る会」の2020年度の中止が決定
	2020年2月	新型コロナウイルス感染拡大を受け全国で休校要請
	3月	東京オリンピック・パラリンピックの開催延期が決定
	4月	首相、全世帯へのマスク配布を発表
		緊急事態宣言発令
	5月	SNSで「#検察庁法改正案に抗議します」投稿広がる。黒川検事長の賭け麻雀が発覚 検察庁法改正案の通常国会での成立を断念
	6月	2019年の参院選をめぐる買収により河井夫妻が逮捕される
	8月	安倍首相、辞任の意向を表明

第二次安倍政権前期／後期年表　作成＝編集部

年から二〇一五年にかけての「第二次安倍政権前期」では、安保法制や教育再生といった、安倍首相が望んでいた右派系の政策が実現しています。それに対して二〇一六年から二〇二〇年にかけての「第二次安倍政権後期」では、森友・加計学園問題をはじめとする不祥事が次々と噴出し、それに対する場当たり的な対応に追われることになります。

西田　ぼくもおおよそ同じ見方です。しかし安倍政権自体が森友・加計学園問題のような不祥事で手一杯になったというよりは、メディアやSNSの注目の対象がそちらに移ったと考えたほうが現実に即しているように思います。後期にも新しい法案は通りつづけているので、政策そのものより情報の扱われ方の要素が大きいのではないでしょうか。

辻田　社会全体の言説が不祥事に対する賛否ばかりになってしまったわけですね。この章では政権に対するメディアや市民の反応も見たいと思います。それでは安倍政権の政策とプロパガンダについて、まずは時系列に沿って振り返ってみましょう。

ネット重視で始まった「危機突破内閣」

辻田　まず、第二次安倍政権の発足当初のことを取り上げたいと思います。第二次安倍内閣は二〇一二年に発足しました。このときのキャッチコピーは「危機突破内閣」です。この直後から安倍首相は、いくつかの右派系のメディアに頻繁に出演するようになります。これまで首相がメディアに出るときには、基本的に平等にやっていました。

西田　具体的には記者クラブの幹事社が持ち回りで取材をしていました。

辻田　それが特定のメディアに偏って露出するようになった。これは大きな変化です。二〇〇六年から二〇〇七年の第一次政権のときにひどくメディアに攻撃されましたから、そのときの嫌な記憶があったのかもしれません。いまから振り返れば、これがメディア間の分断を促進したように思います。

西田　第二次安倍政権は発足当初から、その後の長期政権を通じて、政治とメディアとの力学を大きく変えていきました。それはたしかだと思います。しかし公平を期するために言えば、メディアの分断は安倍政権のまえの民主党政権にも関係します。民主党は記者クラブを透明化し、フリーランスのジャーナリストにも会見をオープンにすると主張していました。にもかかわらず、ネットメディアの記者の締め出しが報じられるなど、中途半端なかたちで終わってしまいます。

辻田　たしかに政府の広報を記者クラブにとらわれないかたちにするという意味で、安倍首相は民主党の路線を継承したと捉えることもできます。わたしは民主党が記者クラブをオープンにすると掲げたのはよいことだったと思います。とはいえ実態が伴っていたかはたいへん疑問です。省庁によってはフルオープンにならなかったですし、菅直人元首相が東日本大震災後にぶら下がり取材を拒否したことも問題になりました。その弱みもあるので、野党も自民党のメディア対応については批判しづらかったのかもしれません。

安倍首相は特定のメディアへの出演だけではなく、就任直後からさまざまなプロパガンダ的な取り組みを行なっています。まず二〇一三年になってすぐに自著『新しい国へ』を刊行します[★2]。これは二〇〇六年の第一次政権発足直前に刊行された『美しい国へ』の新版にあたりますが、内容はほとんど変わっていません。その直後に経済政策を発表。これは「アベノミクス」と通称され、以降は政権の代名詞とも言える言葉になります。在任中をとおしてこの言葉を使い続けました。

★2　安倍晋三『新しい国へ――美しい国へ　完全版』、文春新書、二〇一三年。同書はその副題のとおり、同じく文春新書で二〇〇六年に出版された『美しい国へ』の完全版にあたり、増補として具体的政策を付した以外は内容に手を加えていないと「まえがき」に記されている。

西田　本書でも取り上げましたが、「アベノミクス」という言葉はずるい使われ方をしてきました。というのも、看板として同じ言葉を使いながら、その内容はどんどん変わっていっているからです。はじめは「三本の矢」と言って、「大胆な金融政策」「機動的な財政政策」「民間投資を喚起する成長戦略」による経済再生を指していました。しかし現在は「ソサエティ5・0」というキャッチフレーズのもと、日本のデジタルトランスフォーメーションを含めた成長戦略を指す言葉になっています［★3］。大半のひとは変化に追いついていないし、追いつけないでしょう。

辻田　いまでは金融や経済とはほとんど無関係の政策も多く入っているようですね。「三本の矢」が好評だったからか、二〇一五年には「新・三本の矢」という言葉を使い、「一億総活躍社会」を実現することを掲げていました［★4］。政策の中身が変わっても人々にウケたスローガンを使いつづけ、流行語をつくり出していったわけですから、その点は情報戦略がうまかったと言えるのかもしれません。

西田　ほかに政治とメディアに関する改革としては、二〇一三年四月に行われた公職選挙法改正が重要です。ここまでもなんどか話題に上がったインターネットによる選挙活動の解禁は、この改正によって合法化されました。

★3　ソサエティ5・0については第三章★6を参照。

図1　政府による「3本の矢」のイメージ図
首相官邸ウェブサイトより引用
URL=https://www.kantei.go.jp/

その後七月の参院選で実際にネットでの選挙活動が解禁され、その対策として自民党がトゥルース・チーム（T2）というソーシャルリスニングチームを組織したこともすでに見たとおりです。

辻田　四月に公職選挙法が改正され、七月にはT2が組織として動いている。自民党はかなり動きが早いです。

西田　『メディアと自民党』などで論じてきましたが、自民党は政権を取ってから動き始めたわけではなく、二〇一二年の夏ごろから、公職選挙法の改正やインターネット選挙運動の解禁がいつ行われても大丈夫なように、準備をしていたようです。T2はその後の政党のソーシャルリスニングの基準をつくった、とても重要な組織です。T2はSNSとマスメディアの両方をモニタリングして分析をするだけでなく、なにをするべきかというインサイトまで導き出し、選挙対策委員会にデジタルデータとFAXで送るということまで徹底的に行いました。いまではどの政党も、少なからず行うようになりましたが、T2がそのスタンダードをつくりました。こうして第二次安倍政権を通じて、日本の政治の世界ではSNSの存在感が飛躍的に増していきます。

辻田　第二次安倍政権の七年八ヶ月は、ウェブメディアがプロパガンダの主

★4　二〇一五年九月の自民党総裁選挙で勝利した安倍はその後の記者会見で「アベノミクスの第二ステージ」を宣言し、二〇二〇年に向けた経済成長の推進力となる「新・三本の矢」を掲げた。これは「希望を生み出す強い経済」、「夢をつむぐ子育て支援」、「安心につながる社会保障」を指す。「安倍内閣の経済財政政策」、『内閣府』。URL=https://www5.cao.go.jp/keizai1/abenomics/abenomics.html

戦場になっていった時代に重なっています。この政権が誕生した二〇一二年は、ドワンゴがニコニコ超会議をスタートした年でもあります［★5］。翌二〇一三年の超会議には各政党がブースを出展し、安倍首相も会場を訪れました。彼は翌年も続けて超会議に出演していますし、選挙のたびにニコニコ生放送の党首討論にも出ています。出演するメディアを選んでいるなかで、ドワンゴのメディアには頻繁に出ている印象です。もちろんウェブメディアでの人気が高いことを自覚してのことだと思いますが、なかでもニコニコとは仲がいいように見えます。

西田　ウェブメディアでの自民党の人気が高いとはいえ、じつはネット選挙の解禁には、安倍政権の肝いりというだけではない文脈もありました。インターネット選挙運動を認めるべきだという議論そのものは二〇〇〇年代からあり、このころは野党だった民主党が主張していました。自民党はむしろそれを拒否していたんです。その後、政権交代が起こって鳩山由紀夫さんが首相になり、はじめて与野党が認めるかたちで合意にいたります。しかし鳩山政権が沖縄問題で躓き、ネット上で民主党政権を批判する声が大きくなったこともあってか、民主党政権時代にはそれ以上動かなかった。結局は二〇一三年まで実現しなかったわけです。

★5　ニコニコ動画のユーザーを対象とした複合イベント。千葉県の幕張メッセを会場に、ニコニコ動画のサイト内で展開されるさまざまな企画を、実際のブースやステージで開催する。例年一〇万人規模の来場者数を記録していたが、二〇二〇年は新型コロナウイルス感染拡大の影響を受けて、オンラインでの開催となった。政党がブースを出したのは二〇一七年が最後。

辻田　公職選挙法改正後、二〇一三年七月の参院選で自民党は大勝をします。ネット選挙の解禁とT2の設置は、選挙に連勝することをかなり意識した布陣だったのでしょう。この選挙での勝利により、第二次安倍政権は始まってすぐにねじれ国会を解消できました。このあとには東京五輪の開催も決定するなど、政権の追い風になるような華やかな話題が続きます。

そのうらでは、NHKの経営委員会に、百田尚樹さんなど首相に近い人物が就任しています[★6]。さらに二〇一四年にはNHKの会長に籾井勝人さんが就任します。このひとは安倍政権に送り込まれたという色が強い会長で、当初から領土問題に関して「政府が右ということを左というわけにはいかない」などと発言し、問題になっていました。また就任早々、いつでも罷免を可能にするために、あらかじめ理事全員の辞表を預かるという不祥事もありました。二〇一五年には自民党がNHKとテレビ朝日の幹部を呼び出して聴取を行なったというニュースもあり[★7]、安倍政権はテレビメディアへの介入に積極的だったように見えます。放送事業者は規制当局に腰が引けがちです。

西田　この問題には構造的な側面もあります。日本では放送免許が更新制になっていて、その許認可権を総務省が持っているのです。そのためテレビが

★6　NHKの経営委員会は、同法人の予算や事業の計画、番組編集の基本計画を議決し、会長以下の役員の職務執行を監督する機関。NHKの会長も経営委員会が任命する。委員会のメンバーは、衆参両議院の同意のもと、内閣総理大臣によって任命される。二〇二〇年一月からNHKの会長となった前田晃伸も、安倍首相に近い財界人の懇親会である「四季の会」のメンバーであり、政権とNHK執行部との関係が批判の対象となった。

★7　NHKについては同局の番組「クローズアップ現代」でやらせ疑惑があったことから、テレビ朝日については後出する古賀茂明の政権批判から聴取が行われた。

政治から自由になることがなかなかむずかしい。アメリカではFCC（連邦通信委員会）という独立した機関が放送事業を監督しています。

辻田　日本でも第三者委員会のようなものが必要だという議論がありますね。

現在の政府と放送メディアの結びつきは、田中角榮元首相の遺産です。日本に放送事業者が林立した一九五〇年代に、当時の郵政大臣だった田中元首相が、それまで滞っていた放送免許の発行を一挙に行いました。そのことによって放送業界に貸しをつくったんです。のちに彼が首相になった際には、「その気になれば、これ（クビ）だってできるし、弾圧だってできる」という発言をしています。田中元首相が実際になにか弾圧を行なったわけではないですが、いざとなったら政府が認可を取り消すかもしれないという脅威は、所管庁が総務省に変わったいまでも厳然と存在しているわけです。このあたりの事情は逢坂巖さんの『日本政治とメディア』（二〇一四年）で紹介されています［★8］。

西田　それにくわえて、放送業界には一九九三年に起きた椿事件のトラウマがあると考えられます［★9］。当時テレビ朝日の報道局長だった椿貞良さんが、細川連立政権の樹立に有利に働くような偏向報道を指示していたと報じられた事件です。その際、当時の郵政省は放送免許の取り消しをすると示唆

★8　逢坂巖『日本政治とメディア――テレビの登場からネット時代まで』、中公新書、二〇一四年。辻田が引いている田中の発言は同書九七頁。

★9　一九九三年七月に行われた衆議院選挙について、テレビ朝日による偏向報道が疑われた事件。当時テレビ朝日の報道局長だった椿貞良が日本民間放送連盟の会合で、自民党政権の成立を阻止し連立政権成立を助けるような報道をしようと発言したと報じられた。当時の郵政省は、このような偏向報道があったとすれば政治的公平性を定めた放送法に違反するとして緊急会見を行い、無線局の運用停止を示唆した。

しました。最終的には椿さんひとりの責任であったとするかたちで政治と業界の手打ち的に処理され、免許停止は瀬戸際で防がれたものの、放送業界に与えたインパクトは大きいでしょう。

辻田　安倍政権においても、二〇一六年に高市早苗総務大臣が、放送局が政治について公平に報道しない場合は電波法に基づいて停波する可能性があるという趣旨の発言をしました。この発言の直後、四月に行われた番組改変では、テレビ朝日の「報道ステーション」の古舘《ふるたち》伊《い》知郎《ちろう》さん、TBSの「NEWS23」の岸井成格《しげただ》さん、NHKの「クローズアップ現代」の国谷裕子《ひろこ》さんなど、政権への厳しい発言で知られる出演者が、揃って降板となります。

西田　古舘さんについては、報道ステーションのコメンテーターの古賀茂明さんが、生放送で「I am not ABE」というテロップを掲げたことも原因でしょう［★10］。テレビは台本が決まっているので、生放送での突発の振る舞いは驚きでした。制作サイドにとってもたいへん驚愕の出来事だったようで、あの事件以降、テレビ朝日にはコメンテーターの管理をきちんと行うという目的の、コメンテーター室が設置されるというガバナンス改革がありました。

辻田　このような動きを見ていると、NHKの経営委員会についても、あるいは放送業界自体にとっても、やはり第三者委員会をつくることがベストだ

★10　元官僚の古賀は二〇一四年から二〇一五年にかけて発生したイスラム国による日本人の拘束、殺害事件に際して、二〇一五年一月二三日の「報道ステーション」で、「I am not ABE」というメッセージを世界に向けて発信することで日本は非戦国家であることをアピールし、拘束されている日本人を解放させなくてはならないとの発言を行なった。同番組への最後の出演となった三月二七日には、「I am not ABE」と書かれたフリップを用意して生放送中に提示し、自身の発言について官邸からの圧力があったと発言した。

と思えてきます。しかし日本でほんとうに中立的な組織をつくることができるのかは、大きな問題ですね。安倍政権はテレビメディアへの脅迫的な側面とウェブメディアを利用したソフトな側面との、両面性を持ったイメージ戦略が特徴的です。

西田 ところで余談ですが、高市総務大臣をはじめ、片山さつきさんや稲田朋美さんなど、保守系の女性議員が多く要職に就いていたことが第二次安倍政権の特徴ですね。

辻田 それはそうですが、二〇二〇年に稲田議員が夫婦別姓制度に肯定的な発言をすると、それまで行動をともにしていた男性議員から総スカンを喰らいました。かつての「小沢ガールズ」のような呼び方もそうですが、男尊女卑的な風潮は、日本の政治や社会におけるたいへん根深い問題だと思います。

人事権強化から「国難突破解散」へ

辻田 第二次安倍政権前期の重要な改革として、二〇一四年の内閣人事局の設立がありました。これは政権が官僚の人事をコントロールするための組織です。この組織は官僚による政権への「忖度」の原因になるとして問題になりました。

西田　内閣人事局の設置は二〇〇〇年代から議論が始まりました。しかし関連する法改正が必要だったために、ねじれ国会だった民主党政権時代には設置をすることができず、それを引き継ぐかたちで安倍政権が設置をしたということですね。政府と官僚の関係を政治優位に変更しようという議論は古く、日本の政官関係では、官僚が強すぎると言われつづけてきました。高級官僚の人事を内閣に集約して、政治の側を強くすることはあるていどは必要だったと思います。また、行政や権力の透明性や追跡可能性改善、国会の調査力や権限向上で拮抗する緊張関係の導入が必要でした。

辻田　リベラル派は内閣人事局の設置を受けて、権力の集中は戦前への回帰だと主張しがちですが、その見方はいささか単純すぎます。歴史的な観点からすれば、戦前の日本はむしろ総理大臣の権限が弱く、かえって軍部の暴走を招いた面がありました。よく指摘される東条英機の「独裁」も、実際はいくつもの大臣を兼任することで、なんとか権限を集中しようとしていたことに起因するわけです。官僚に対して政治の力を強めるというのは、戦後日本の課題でもありました。首相や官邸に強い権限を持たせることは、いわば日本の悲願だったのです。しかしそこで重要になるのは、その強化のバランスであるはずです。今回の内閣人事局の設置は、いささか劇薬だったのではないでしょうか。

西田　そのとおりです。良くも悪くも官僚はまじめなひとが多いので、インセンティブに忠実に反応してしまいがちです。結果的に、いわゆる「官邸官僚」と呼ばれるひとたちが活躍することになります。

辻田　官邸官僚が注目されたのは森友・加計学園問題のときです。今井尚哉《たかや》政務秘書官の関与が注目されました。その大元になったのがこの内閣人事局の設置だったわけですね。

ところで同じ二〇一四年には、沖縄県知事選挙で翁長《おなが》雄志知事が誕生します。翁長知事が戦い続けた沖縄の基地の問題も含め、二〇一四年から二〇一五年にかけては日本の戦後体制に関わる大きな話題が続きます。安倍政権の大きな目標である、憲法改正にも意欲的な姿勢を見せていきます。その野心が垣間見えたのが、二〇一四年末に衆議院を解散して行われた総選挙です。この解散は名目上、消費税一〇パーセントへの増税を先送りにしたこととの是非を問うということで、「アベノミクス解散」と呼ばれました。しかし自民党が大勝すると、安倍首相は「安保法制について国民の信任を得た」、「憲法改正についても重要性を訴えていきたい」と発言しています［★11］。

★11　毎日新聞によれば、安倍首相はテレビ等で安保法制は「政権公約で示し」ており、「それを加味した選挙」だったと発言しているほか、改憲についても「我が党にとって悲願」であり「必要性について訴えていきたい」と述べている。「クローズアップ2014　衆院選　自民1強が継続　首相『改憲』言及　安保整備も強調」、『毎日新聞』、二〇一四年一二月一五日。

ほか、教育に関する話題としては、二〇一五年に学習指導要領が改定され、道徳が教科化することが決まったことも見逃せません。

西田 具体的には、教科書がつくられ試験で点数がつくようになったということですね。

辻田 教育再生もまた安倍首相のこだわっていた点でした。第一次政権時代の二〇〇六年には、教育基本法も改正されています。日本国憲法には教育関連の記述がないことから、教育基本法は教育の憲法とまで言われる法律です。

西田 その位置づけから、教育基本法には通常の法律には存在しない前文があります。この法律は完成度が高く、とくに修正する必要がないという前提で第一次安倍政権まで来ていました。

辻田 自民党の改正案には「国を愛する心」という文言が明記されていたことが当時話題になりました[★12]。結局は公明党の意向で変更になり、現行の法律では「愛国」という熟語になるのを避けるため、あいだに「郷土」を入れて「国と郷土を愛する」にするという些細な修正がされています。

西田 教育に関しては、国旗国家法の改正も小渕恵三政権で行われています。当時、国歌斉唱の際に起立しない教員が懲戒されるニュースがよくメディアで取り上げられました。結局、最高裁まで争われて、懲戒が合憲であること

★12 「国を愛する心」については以下の資料に記述が残っている。「教育基本法に盛り込むべき項目と内容について（中間報告）」、『文部科学省』、二〇〇四年六月一六日。URL=https://www.mext.go.jp/b_menu/kihon/data/04061801.pdf

が確認されてしまいました。

辻田　わたしが子どものころ、担任の先生が革新系だったので、卒業式のまえに「起立せず座りましょう」と演説をしていたことをおぼえています。それでうちのクラスだけ座っていました（笑）。こういう押しつけもどうかとは思いますが、いまの大学生に話を聞くと、こういう問題意識そのものがなくなっているようです。

西田　ぼくの小学校もそうでした。いまでは大学でも国旗の掲揚も、行事における国家斉唱も、教員の起立もふつうに行われています。慣れというのは怖いものですね。

辻田　第二次安倍政権では、下村博文文科大臣が国立大学でも入学式や卒業式で国旗を掲げ国歌を歌うように要請を行います。大学には法的に強制することができないのであくまで「要請」ですが、それでもいくつかの大学が実施にいたります。これも二〇一五年でした。この年は戦後七〇年の談話を安倍首相が出す、安保法制が成立するなど、外交や安全保障、あるいは歴史認識の分野で大きな話題が続きました。最も「安倍政権らしい」年だと言えるのではないでしょうか。一億総活躍というスローガンを打ち出したのもこの年です。

西田　ねじれ国会が解消されて軌道に乗り、経済政策から統治機構改革、そしてメディア対策まで、さまざまなことを実現していた時期ですね。ある意味、脂が乗っていた時期とも言えます。

辻田　国際的情勢を見れば、第二次安倍政権前期の時代は、クリミア半島がロシアに併合されたり、バグダディがイスラム国の建国を宣言したりと、危機の時代だったと言えると思います。日本の近隣では、中国の習近平主席が「一帯一路」という経済圏構想を発表する、韓国で朴槿恵《パククネ》大統領が就任し、セウォル号の沈没事故により大きく支持率を下げるなどの出来事があった時期です。二〇一五年一二月には慰安婦問題で日韓合意が発表されています。そうした激動の時代だったために、安倍政権の強調する安全保障の重要性が空理空論ではないと実感され、受け入れられやすかったのではないでしょうか。

西田　香港で雨傘革命の運動が起きたのも二〇一四年でした。

辻田　日本でも二〇一五年のSEALDsのデモなど、安倍政権に反対する活動が話題になりました。同時にその時期が、安倍政権が最も力を持ってやりたいことをやっていた時期でもあるわけです。そしてこの翌年には、またしても選挙が行われます。第二四回の参院選です。ほぼ毎年のように国政選挙が行われ、つねに臨戦態勢の政権でしたね。

西田　そして選挙のたびに、選挙の顔として安倍首相の存在感が強まっていったのでしょう。それは自民党議員にとっても同様で、安倍首相のもとで選挙に臨むのが常態化していったのだと思います。政治家はやったことがない環境で選挙を行うことを心底恐れていますから、安倍首相で勝ったらつぎも安倍首相がいいと考えるわけです。とくに当選回数の少ない国会議員については、これまで顔にしたことがないひとを担いだ選挙はできない体質になってしまったとみなせそうです。公明党依存と似ています。

辻田　たしかに安倍首相は選挙に勝ち続けています。続く二〇一七年にも「国難突破解散」による総選挙がありました。立憲民主党の結成や、都知事に就任したばかりの小池百合子党首率いる希望の党が話題になりましたが、野党は相変わらずの分裂ぶりで、蓋を開けてみればやはり自民党の圧勝に終わりました。

この時期に行われた自民党のプロパガンダを見ると、二〇一六年の選挙の際には、政権樹立の年にリリースされた安倍首相——自民党の取り組みなので正式には総裁名義ですが——のアプリゲーム「あべぴょん」が大幅アップデートされています［★13］。二〇一七年には安倍首相のラインスタンプも登場するなど、着実に手を打っている。逆に自民党新潟県連が作成した「政治って意外とＨＩＰＨＯＰ」というコピーのポスターが批判を受けた例もありますが、こうした試行錯誤が第二章で見た「#自民党２０１９」に結びついていったのでしょう。

図2 「帰ってきた！あべぴょん」トップ画面
自民党ウェブサイトより引用
URL=https://www.jimin.jp/election/results/sen_san24

不祥事だらけの政権後期

辻田　しかしその二〇一六年から二〇一七年にかけては、政治とメディアを取り巻く雰囲気が変わっていった時期でもあります。この時期、不祥事が連続して発覚したからです。まずＰＫＯ法（国際平和協力法）により南スーダンに派遣されていた自衛隊の日報を、防衛省が隠蔽したという疑惑がありました[★14]。一度廃棄済みとされた日報が、追及され再調査を行なった結果出てきた。結果として稲田防衛大臣が引責辞任します。

西田　これは論外ですね。日報は文官と国会、ひいては国民が自衛隊という実力組織を統制するうえで非常に重要なものであり、それが隠されているの

★13 「あべぴょん」は自民党公式のスマートフォンアプリゲーム。安倍首相に似せた「あべぴょん」というキャラクターを操作して、さまざまなアイテムを獲得しながら上空を目指す内容。二〇一六年のアップデートでは新アイテムとして「三本の矢」が追加された。

★14 自衛隊は二〇一二年から南スーダンでの国連平和維持活動に隊員を派遣しており、二〇一六年にこの派遣部隊の日報について日本のジャーナリストによる情報開示請求があった。防

はとんでもないことです。同様に、森友・加計学園問題における公文書改竄や厚生労働省の「働き方改革」のデータねつ造もたいへん大きな問題です［★15］。

辻田　森友・加計学園問題は、やはり最も象徴的な事件だと思います。この事件をめぐっては、東京新聞の望月衣塑子《いそこ》記者が菅官房長官の記者会見に出席して追及をし、リベラルからヒーローとして扱われるようになります。彼女をモデルにした映画『新聞記者』（二〇一九年）は、日本アカデミー賞で三冠を達成し、大きな話題になりました。

西田　あの映画は陰謀論的なテイストが強く、しかも望月記者本人が登場するなど現実世界と錯覚しやすい演出もあって、左派的な方向にミスリーディングしかねないと思います。望月記者については森達也監督が『i』（二〇一九年）というドキュメンタリー映画を撮っていますが、そちらのほうがよっぽどおすすめですね。

辻田　内閣広報室の職員が暗い部屋でずっとツイッターに張り付いていたり、政府高官が記者に嫌がらせの電話をしたりと、現実ではありえない演出も目立ちましたね（笑）。エンターテインメント映画になるくらい、彼女が注目を集めたということでしょう。逆に政権側もその構図に乗り、支持層に対し

衛省は当初、日報は廃棄されており開示できない旨を通知したが、その後、日報の電子データが保存されていることが判明した。防衛省による監察の結果、組織的な隠蔽が確認され、防衛省・自衛隊の幹部が処分されたほか、当時の稲田防衛大臣が引責辞任するにいたった。二〇一八年には、防衛省がそれまで不存在と答弁していたイラク派遣時の日報も発見された。

★15　二〇一八年一月、「働き方改革関連法案」の成立を目指す安倍首相の国会答弁で、裁量労働制で働く労働者の労働時間のほうが一般労働者のものよりも短いというデータがあるとの発言がなされた。この答弁の根拠とされた厚生労働省の「平成25年度労働時間等総合実態調査」のデータについて、野党から疑義が呈された。厚生労働省が調査データを検証した結果、一般労働者の労働時間が長く算出されるような、恣意的なデータの加工が行われていたことが

て「敵がここにいる」とアピールをしていきます。こうして、政権をめぐり左右――正確には、反安倍と親安倍と言ったほうがいいかもしれませんが――が明確に敵対しあう図式ができあがりました。国際的にもＥＵではブレグジットが起こり、アメリカではトランプ大統領が誕生して、政治的な分断が深刻化します。韓国でも朴槿恵大統領が失脚し、文在寅《ムンジェイン》が大統領に就任します。世界全体が本格的に分断の時代に入る、契機の時期だったと言えるのではないでしょうか。

西田　政治学の評価では、世界と比較すると日本はそれほど分断が進んでおらず、まだ恵まれていると分析されることもあります。もしこれが正しいとしたら、やはりテレビと新聞といったマスメディアが未だに全国規模の力を持っているからではないかと考えられます。全国紙は各地方版を、テレビ局は系列局を介して、社説や情報番組といった巨大なコンテンツを全国津々浦々で流しています。こういう仕組みが残っているところはめずらしく、いまではほとんどの国はケーブルテレビやネットが世論形成の中心になっています。

辻田　たしかにアメリカでは、トランプ大統領といえばＦＯＸニュースというように、メディアによって明確に支持政党が分かれている印象です。日本

判明した。検証結果の公表に先立って、首相は答弁を撤回し謝罪している。

でも安倍首相が右派系メディアに積極的に出る傾向はあるにせよ、虎ノ門ニュースのようなインターネット番組が中心で、アメリカとは比較にならないほど小さな規模です。

西田　マスメディアの偏りや政権の介入については、これまで折に触れて話してきました。しかし、まだまだ限定的なものだと言っていいでしょう。実際の民放の体たらくはともかく、法規としては放送法第四条に多角的な視点の提供や政治的公平性についての規定があります。いわゆる番組編集準則もそうですね。新聞は最も自由度が高く規制は少ないですが、客観報道原則がありますˆ[★16]。ネットメディアは偏りがあるように見えるかもしれませんが、そのソースを遡れば結局は新聞であることが大半です。

辻田　特殊なメディア状況が国民に一体感を与え、分断の抑制につながっている、と。逆に言えば、ウェブメディアのソースになっている新聞が最後の砦のように思えます。もし新聞の底が抜けてしまったら、日本は諸外国並に分断が進むのではないでしょうか。実際に、ＳＮＳを眺めていると、すでに世界が分断されているようにしか見えません。

西田　さらに具体的に言えば、全国紙が持っている取材網をいかに守るかが重要です。取材網を維持することはどんどんむずかしくなっていて、ブロッ

★16　二〇〇〇年に制定された新聞倫理綱領に、以下のような文言が記されている。「報道は正確かつ公正でなければならず、記者個人の立場や信条に左右されてはならない」、「新聞は公正な言論のために独立を確保する。あらゆる勢力からの干渉を排するとともに、利用されないよう自戒しなければならない」。「新聞倫理綱領」、『日本新聞協会』。URL=https://www.pressnet.or.jp/outline/ethics/

ク紙でも部数の少ない県には提供をやめてしまう例が出てきています。西日本新聞が宮崎県・鹿児島県への発行を中止したことなどがそれにあたります。取材網が維持できないところでは、ＮＨＫと共同通信の配信に依存するようになります。しかし、それでは共同通信が撤退したらおしまいです。良質な一次情報流通の環境に関する議論が必要ですが、当のＮＨＫ改革の議論を見てもコストカット一辺倒です。しかし支局網や人材はいったんなくしてしまえば、ビジネス上の理由でおそらく再構築は相当困難なはずなので、慎重に考えるべきです。

辻田　取材網を維持できるようなビジネスモデルの構築が急務だということですね。そのためか、新聞社もウェブの世界に本格的に参入するようになっています。最近では新聞にコメントを寄せても、「今日中に載せたいのですぐに確認してくれ」と言われることが増えました。ツイッターで盛り上がった出来事も、すぐ記事化され、ハッシュタグつきで公式アカウントからツイートされます。ＰＶモデルをひた走っているわけですが、あれでどれくらい紙の部数減を代替できているのでしょうか。新聞とはもともとそういうメディアと言われればそれまでですが、日本経済新聞のように、着実に有料会員数を積み重ねたほうが安定しているようにも思えます。

西田　それは定かではないですが、新聞のウェブへの移行には、販売店網がダメージを受けるため選択しにくいという問題があります。新聞社は一九八〇年代の競争が激しく、部数が伸びていた時代に、各社のグループの販売店にプレッシャーをかけて営業させた歴史があるんです。その義理があって、明らかに紙の新聞の売上減につながるサブスクリプションモデルにはなかなか踏み切れないのです。イノベーターのジレンマ的ですね。おっしゃるとおり国内新聞社で移行に成功している数少ない例は、電子版の加入者を大きく伸ばしている日経でしょう。きっかけは二〇一五年に日経がフィナンシャル・タイムズ紙を買収したことです。これを機に日経は社長をはじめみなが感化され、デジタル化に舵を切らなければならないという意識が非常に強くなりました。トップダウンで方向転換がなされる、じつに日本的なモデルですが、世界的に見ても成功例です。

辻田　新聞社に就職すると、たいていはじめは地方に配属され、少ない人員のなかで、高校野球の取材や警察署回りをしなければなりません。最近はこれを嫌うひとが多く、その結果、早期にウェブメディアなどに転職してしまうのだと聞きました。日経はこれがないのも強みかもしれません。ただ、逆にウェブメディアは新聞社から転職する人材を使うので、自分たちではひとをほとんど育てない。これでは人材育成コストを新聞社にアウトソースしているのと同じです。

西田　同じような事情で、テレビ局でも記者の人材不足が起きています。テレビ局に入っても記者になりたくないというひとが増えているとも聞きます。これはなかなか理解できないことで、いったいなんのためにテレビ局に入ったのかと思ってしまいます。一方のウェブメディアは、どれだけ儲かってもSNSの話題を追いかけ、人材を引き抜くばかりで、一向に取材網をつくろうとしません。その意味でも、新聞とNHKの取材網と支局網はきわめて重要な情報インフラです。いま、各社の支局が立て続けに閉鎖されていっていますが、限界がくるまえに対策を打つ必要があります。ユニバーサル・サービスを行う事業者を支援するコスト徴収制度を設けてもよいのではないかとさえ思ってしまいます。

辻田　SNSに目を向けると、二〇一七年は「#MeToo」運動が国際的に話題になった時期でもあります[★17]。この年には日本でも、伊藤詩織さんが性暴力被害を告発した『ブラックボックス』を出版しました。加害者とされる山口敬之さんが安倍首相に近い人物だったこともあり、政権の不祥事としても大きく扱われました。

★17　もともと性暴力の被害を受けたマイノリティの女性を支援するスローガンとして二〇〇七年ごろにアメリカで使われはじめた「MeToo」は、二〇一七年にハリウッドの映画プロデューサー、ハーヴェイ・ワインスタインのセクシャルハラスメントが次々と告発されるなかで、ハッシュタグを付されてソーシャルメディア上の運動となった。アジアにおいては韓国で、性暴力の加害者とみなされた政治家や俳優などの告発につながっている。

西田の発言中の「#KuToo」は、俳優でライターの石川優実が提唱し展開した運動で、オフィスにおける女性のハイヒール、パンプス着用義務は性差別だと抗議するもの。「#MeToo」に「靴」と「苦痛」をかけた命名。この語は二〇一九年の流行語大賞にノミネートされたほか、石川はこの運動によりBBCの"100 Women 2019"に選ばれた。

西田　「#MeToo」の運動はその後流行する、ハッシュタグを用いてツイッター上で声を上げる政治運動の先鞭をつけた側面もあります。日本で独自に展開した「#KuToo」などは男性にはなかなか気がつきにくい問題を顕在化させたということも指摘できそうです。

辻田　二〇二〇年には黒川弘務《ひろむ》検事長の定年延長問題をめぐる検察庁法と国家公務員法の改正に反対する運動があり、「#検察庁法改正案に抗議します」というハッシュタグがツイッターに躍りました。ツイッターデモという言葉も生まれましたが、個別の運動の是非はともかく、わたしはこのような動きは、新しい賛同者を集めるというよりも、既存の仲間うちで結束を再確認するものであり、左右の分断を加速する動きだと感じました。

西田　運動の盛り上がりのわりに、改正案の具体的内容に目を向けているひとが少なかったと思います。二〇二〇年六月の改正案では、国家公務員全般の定年年齢引き上げと、それにあわせて内閣が検察幹部の任期を延長できるようにすることの二点が問題になりました。反対派はこれを内閣が司法に介入する行為だと捉え、三権分立の毀損として批判していたわけです。しかしそもそも、検察幹部を内閣が任命するという点は、改正以前から変わらないのです。したがって、今回の改正で議論しなければならないのは三権分立など原理原則に関する問題ではなかったはずで、定年延長が検察官のモチベーションにどのような影響を与えるか、そしてその影響が人事システムをどのように変えるかこそが重要でした。もし問題があるとするなら、具体的にどのような影響があるのかを知りたかったのですが、そうした議論は管見の限りほとんどなかった。ぼくはそのような旨をSNSやメディアで発信したのですが、結構なバッシングを受けてしまいました（笑）。最近よく思うのは、この手の議論では疑問を持つことさえ認められないということですね。

辻田　当時は芸能人もハッシュタグ運動に参加し、盛り上がりを見せていましたから、西田さんの発言はそこに水を差すものとして見られたのかもしれません。しかしこの問題の幕切れは結局、『週刊文春』の賭け麻雀報道によるものでした［★18］。法案改正の内容に関する議論どころか、ハッシュタグ運動とすら無関係の終わり方をしてしまったわけです。しかも賭け麻雀をした黒川元検事長は不起訴になっています。こうした結果に終わったにもかかわらず、ハッシュタグ運動はいまでも自民党政権に反対するひとたちの最後の手段のように扱われています。

★18　二〇二〇年五月二一日に発売された『週刊文春』で、当時の黒川検事長が産経新聞、朝日新聞の記者と賭け麻雀を行なったとする記事が掲載された。賭博罪および国家公務員の倫理規定への抵触、さらにコロナ禍下での「三密」を招く行動が大きな非難を呼び、五月二二日に黒川は検事長を辞任した。

コロナ禍に倒れた「選挙に強い」安倍政権

辻田　第二次安倍政権後期では、政権側だけでなく、反対する側もＳＮＳを使った戦略を用いるようになりました。その状況のなかで、コロナ禍が政権を直撃することになります。最後にコロナ禍への対応を見ることで、第二次安倍政権とはなんだったのかを考えたいと思います。

西田　一言でまとめると、ぼくはコロナ禍によって第二次安倍政権の宿痾が一挙に噴き出したと見ています。ここまでさまざまな角度から見てきたように、自民党は二〇一〇年代を通じて情報戦略を洗練させてきました。その目的は言うまでもなく、選挙で勝ち、政権を維持することです。

辻田　実際に安倍政権は選挙をなんども戦い、そして勝ちつづけています。

西田　しかしＣＯＶＩＤ－19のような感染症対策は選挙対策とは根本的にちがうものです。選挙については、自民党は比例区なら投票総数のうち四割ほどの支持層を固めきれば十分勝てることがよく指摘されています。これは投票に行っていない有権者も含めると、全体の二割程度の数だということになります。しかしほかにそれくらいの支持を固められる党がないから、それで十分勝てるのです。逆に言えば、その四割以外は眼中にないし、選挙戦略上それでよいとも言えます。たとえば二〇一七年の都議会議員選挙の際に、応援に来ていた安倍首相が、「安倍やめろ」コールをしていた市民に対して「こんなひとたちに負けるわけにはいかない」と逆上したことがありました［★19］。あるいは、国会の質疑や記者会見でも、安倍首相は応答の際にひたすら同じことを繰り返す戦術を取ってきました。こういった姿勢に見られるのは、安倍政権が自分たちを支持する四割を固めることに全力を注ぎ、それ以外の国民の意見に応えようとしてこなかったということです。非支持層の不満に耳を傾けようとしてこなかったわけです。

これに対してコロナ禍への対応は、国民の全員に行動変容を促さなければ解決できません。たとえば政府は、接触八割減という目標を掲げていました。その妥当性は感染症の専門家が考えるべきことですが、さしあたりこの目標を実現させるのは政府の仕事です。それを成し遂げるためにどうすればよいか。日本では緊急事態に関する条項がないため、自粛を要請するしかない。いわば「お願い」をするほかないわけです。しかし、六割の国民たちから強い不満を持たれて、その不満をこれまで放置してきた政府に、そんなお願いを聞き届けてもらう力はないでしょう。

★19　安倍首相は二〇一七年七月一日、自民党から出馬した中村彩候補の応援演説を行なった。都議選で唯一の安倍首相の演説に、森友学園元理事長の籠池泰典を含む多くの聴衆が集まり、ヤジが飛び交うなど混乱した様相を呈した。演説とともに起きた「帰れ」「やめろ」というコールに対し、安倍首相は「演説を邪魔するような行為」、「こんなひとたちに負けるわけにはいかない」と発言した。

辻田　自民党によるプロパガンダを通じて強まっていた政治的分断が、コロナ禍への対応をむずかしくさせたわけですね。

西田　しかも政権を支持する、支持しないという分断の手前には、そもそも政治に関心があるかないかという分断があります。当然ながら、コロナ対応は政治に関心を持っていない層にも関係する問題です。その意味で、自粛と要請、つまり国民の政府への信頼を基調とする日本型のコロナ対策は、当初から安倍政権のもとでは破綻していたと言えそうです。

とはいえ三月始めごろまでの安倍政権は、それなりに計画的な対応を行えていたと思います。計画的、行政的対応が大半だったからです。日本の今回の初期対応は感染症法、検疫法、新型インフルエンザ特措法等で規定されていたため、政権の能力にさほど依存するものとは言えないと考えています。ですがその後、早期収束の世界中の願望に反して、コロナ禍は急速に地球規模の問題になっていきます。政府も自身の権限や裁量で、当初の計画にない対応を取らなくてはいけなくなりました。しかし安倍政権はリーダーシップを発揮できず、民意に媚びるような対策ばかり行うようになってしまいます。

辻田　たしかにある段階から、会見の開催の遅さや、その内容の稚拙さが批判を浴びるようになりました。そこからどうにか支持率を回復するために、民意に寄り添いすぎてしまい、その結果として不合理な政策になっていったということでしょうか。

西田　そうですね。これまで支持基盤のことしか考えてこなかった政権ですから、ついつい民意のうわべを、御用聞きのように受け入れていると見せかける対応を取ってしまったのではないでしょうか。象徴的なのは前章で見た特別定額給付金です。生活困窮者や家計急変世帯に向けて手厚く配るという政策が、反発を受けて一律一〇万円の給付に変わってしまいました。これはほんとうにおかしな話です。生活保護世帯は高齢の単身者がいちばん多く、そのつぎに障害を持っている世帯や母子世帯、父子世帯などが続きます。緊急事態になったときに彼らが困ることは明確ですから、そこに重点的に支援を行うことはそれほどまちがっていなかったはずです。しかし連立を組む公明党や世論の反発を受けて、あっという間に幅広給付になびいてしまいました。生活困窮世帯にとっては手薄の対応に変わってしまったと言えるでしょう。かといって、日本では困窮者が声を上げたりすることはさほど一般的ではありません。こうした「声の埋没」の問題をほんとうに懸念しています。

辻田　ほんとうに困窮しているひとに一〇万円を渡しても焼け石に水で、逆に富裕層に一〇万円を渡しても、「不要不急」の使われ方をするだけです。

事業者向けの持続化給付金についても同様で、さほど困っていない事業者でも、数値をすこし工夫すれば多額の金が振り込まれます。さらに自治体によっては、追加で自治体独自の給付金を受け取ることができ、二重三重に補償をもらえてしまいます。

西田　平時ならば、地域の飲食店や業界団体の支持が得られて効果的だったのかもしれません。しかしコロナ禍では内閣支持率が著しく下落していき、世論調査でも支持率が最低水準、不支持率は最高水準というはっきりした数字が出るようになりました。さらに、あるコンサルティングファームの調査では、調査対象の一一ヶ国のうち日本でのみ、コロナ禍で政府と企業への信頼度が下がったというデータも出ました[★20]。もちろんそこには、第二次安倍政権後期に相次いだ不祥事の影響もあるでしょう。二〇二〇年に入ってからも、「桜を見る会」問題が再燃し、河井元法相夫妻による買収問題と逮捕がありました[★21]。その逆境のなかでも、自民党と政権は遠くないうちに総裁選や衆院選もやらなければなりませんでした。安倍首相はこのコロナ禍によって自身がレームダック（死に体）化することを恐れたのだと思います。

★20　「2020エデルマン・トラストバロメーター 中間レポート（5月版）：信頼とCOVID‐19パンデミック」、『Edelman』、二〇二〇年五月一四日。URL=https://www.edelman.jp/research/trust-barometer-spring-update

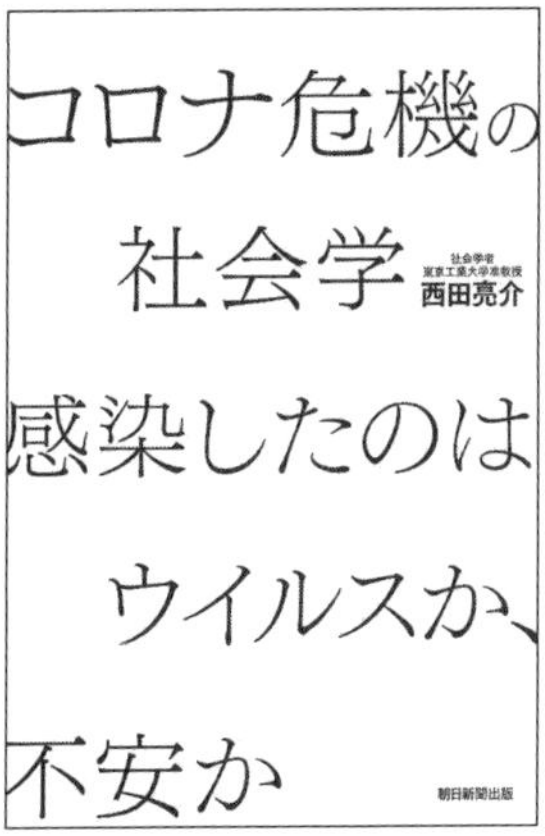

西田亮介『コロナ危機の社会学』（朝日新聞出版）

辻田　その状況のなかで民意をつまみ食い的に受け入れ、国民全体のボリュームゾーンが満足しそうな政策を打ち出していくという、場当たり的な対応になってしまった。安倍政権が補助金を一律給付にしたのは支持率を気にしていたからですし、ロックダウンを躊躇したのは株価を気にしていたからでしょう。どちらにおいても数字に怯えていたのではないかという印象を受けます。むしろあまりにも数字に基づく民意を汲み取ろうとしすぎた結果、支持率が急落していったように見えました。西田さんは『コロナ危機の社会学』（二〇二〇年）でこのような政権のあり方を、「耳を傾けすぎる政府」と表現していますね。

西田　おっしゃるとおり、安倍首相はあまりにも民意を読んでいるという体を取り繕いすぎました。内閣広報室はコロナ禍以前から、ソーシャルリスニングと呼ばれる手法を実践しています。『週刊ポスト』などの報道によれば、電通出身の専門員を雇ってワイドショーを全文文字起こしし、出演者の発言のログを取っているという話です［★22］。コロナの渦中においても、官邸のなかにはワイドショーやネットの言説に非常に強い関心があったと朝日新聞が報じています［★23］。メディアへの対応をめぐっても記者会見をしたほうがいいという意見があったそうですが、安倍首相はなにを言っても批判され

★21　二〇二〇年一月の通常国会で「桜を見る会」をめぐり、招待者の選出に安倍首相が関与していたこと、開催に際して安倍首相の事務所・後援会に収入と支出があったことについて議論が再燃した。
　河井元法相夫妻の買収問題は、二〇一九年七月に開催された参院選で、広島選挙区に出馬して当選した河井案里と、その夫で元法務大臣の河井克行が、大規模な買収を行なっていた選挙違反事件。同じ選挙区で河井と溝手顕正のふたりが自民党から擁立され、派閥対立の様相も呈したこの選挙戦では、河井の側に溝手の一〇倍となる一億五〇〇〇万円もの選挙資金が党本部から入金された。その後河井克行が選挙スタッフに対し法定額を超える報酬を渡していたことや、広島市議会議員や各自治体長に現金の入った封筒を渡していたことが発覚。二〇二〇年六月一八日に、公職選挙法違反の容疑で河井夫妻は逮捕された。

るから出たくないと漏らしていたようです。

辻田　この章の冒頭で見たとおり、第二次安倍政権は樹立当初から、テレビ局への圧力も含めたメディア戦略に力を入れていました。メディア戦略によって成功していた長期政権が、まさにメディアに踊らされるかたちで失敗してしまった。笑えない冗談のような事態です。

西田　そもそも「民意」という存在自体が曖昧で、多様なものです。ここまで話題の中心になったSNS上の意見だけではなく、経団連や公明党、あるいは医師会などありとあらゆる関連団体が自分たちの利害を主張し、陳情します。そのすべてを受け入れていては、政策が支離滅裂で整合性が取れないものになるのは当然のことです。

　したがって、民意に耳を傾けるべきときもありますが、必ずしもそうではないときもあります。言うまでもなく、自由民主主義の社会では自由に民意を発露できることは重要です。しかしわれわれと政府のあいだには、政策に関する情報格差があります。だからこそ、ときに政治家はわれわれの民意に従うのではなく、自分たちがやるべきだと考えることをわれわれに説得する必要があるのです。

辻田　そもそも選挙こそ、民意を測る最大の制度だったはずです。しかしそ

★22　「玉川徹氏、岡田晴恵教授、岩田健太郎教授……安倍官邸『反政府ニュース監視』の記録文書」、『週刊ポスト』二〇二〇年六月五日号。

★23　「ネット上に批判、政府二転三転　前例なき対応、首相見切り発車　検証・新型肺炎チャーター機派遣」、『朝日新聞デジタル』、二〇二〇年二月一九日。URL=https://www.asahi.com/articles/DA3S14370630.html この記事では武漢から日本人をチャーター便で帰国させる際、官邸幹部の「ネットでこう批判されているぞ」「テレビの全チャンネルでこう言われている」などの声によって、対応が二転三転したと指摘されている。

の制度が、国民全員に影響する感染症対策と不和を起こしてしまった。かといって直接民主制が正しいわけでもなく、もちろんツイッターが民意であるわけでもありません。

西田　付け加えておけば、曖昧な民意に踊らされたのは、政府を批判するメディアや野党も同様でした。コロナ禍のあいだの彼らの主張も、一貫性がなく、二転三転しています。新型インフルエンザ特措法の改正の際に反対していたリベラル系の新聞や野党は、いつのまにか早くロックダウンしろと主張をするようになっていました。私権の制限を含む緊急事態宣言は問題だという主張はどこに行ってしまったのか。こうした見通しの悪いコミュニケーションの総体がわれわれの社会におけるコロナ禍の不審と不安、分断の遠因に思えます。

辻田　振り返れば、第二次安倍政権下の野党は安倍憎しを前面に押し出すばかりで、選挙に負けつづけました。与野党ともにＳＮＳに媚びるばかりで、その説得を試みてこなかった問題のツケが、コロナ禍で回ってきたわけですね。

プロパガンダのさきへ

辻田 そのような構造的な問題の一方で、安倍首相が記者会見など個々のメディアへの対応をしっかりしていたら、記者とのコミュニケーションにおいても信頼関係ができており、このような幕引きにはならなかったのではないかと素朴に思ってしまいます。

西田 その点で、二〇二〇年八月二八日に行われた安倍首相の最後の会見は非常に印象に残りました。不祥事で叩かれるようになってから、ほとんど自分の言葉で話さなくなっていった首相が、会見のなかで人間味を見せていたからです。質疑応答のなかで「やり残したことはなにか」と聞かれ、日露平和条約、拉致問題、憲法改正だと答えていましたが、とくに拉致問題について言及する際には、言葉に詰まる箇所が多く見られ、首相自身のこだわりを感じさせました。あれが演出ならたいしたものです。

辻田 それまで安倍首相の記者会見は、事前に用意した文章をただ読み上げるだけで不自然さが目立ち、質問も適当に受けて逃げるだけという姿勢が見られました。ところが辞任会見では、そもそもプロンプターを用意しておらず、自然なしゃべり方になっていました。普段はプロンプターを使ってまともに質問に答えようとしないからこそ、さらに嫌な質問をされ、片言隻句をあげつらわれてしまう。そんな悪循環に陥っていたのではないでしょうか。

西田　実際に会見のあと、支持率は二〇ポイントほど上昇しています。こうして最後の会見で、ようやく人間味を出せたということ自体に、過剰に政治広報にこだわってきた政権の色が出たとも言えるかもしれません。しかし政権も自民党もこの経験によって、メディアのまえで自然な姿を見せることの重要性を学習し、それ自体を戦略に取り入れていくでしょう。

辻田　ではプロパガンダに力を入れていた安倍政権が終わり、これから政治の広報はどのように変わっていくと考えますか。たとえば、安倍政権時代はかげの薄かった野党のプロパガンダが、今後洗練されていく可能性はあるでしょうか。

西田　安倍政権時に議席数を伸ばせなかった結果、議員の顔触れがほとんど変わっていないので、むずかしいのではないでしょうか。立憲民主党の顔になっている議員は昔からいるひとたちばかりで、強いて言えば国民民主党の玉木雄一郎代表が当選回数が少ないくらいです。それに対して、自民党は安倍政権の長期化の結果、大量に新人が当選し、若手議員も育ちました。そのなかにはNTTドコモ出身の小林史明議員のように、実務感覚を持っているひとも多くいます。なんだかんだで自民党の組織能力、政策形成能力は特筆すべきものがあります。ぼくはこうした与党の実力派若手国会議員は注目すべきだと思います。

一方の野党は、政策としてはおもしろいものを出していますが、軒並み党として採用されない残念な傾向が見て取れます。その意味では、与党より旧態依然ですね。たとえば立憲民主党と国民民主党の合流にあたり、立憲の青柳陽一郎筆頭副幹事長が若手二一人とともに取りまとめた「新党への緊急提言」というものがあります[★24]。ここではベーシックインカムや消費税減税といった政策も打ち出されていて、なかなか興味深いと思います。むろん財源や成長戦略、外交といった領域の言及が乏しいなど、難点もまだまだ多い印象ですが、挑戦的でおもしろいですよね。しかしこうした新しい芽が党としてなかなか採用されていきません。

辻田　それでは野党の政策として打ち出すのはなかなかむずかしいですね。今後野党は、どのような政治戦略を取れば、独自性をアピールすることができるのでしょうか。

西田　いったん、手垢のついた言葉での議論から離れることが必要だと思い

★24　この「緊急提言」の公式サイトは二〇二〇年一〇月末時点ですでに削除されているが、提言者がひらいた記者会見は以下から閲覧できる。「野党若手有志議員による『新党への緊急提言』記者会見（2020年9月1日）」。URL=https://youtu.be/V_mvjVCERkQ

ます。たとえば総裁選に向けて菅官房長官が「自助・共助・公助」というスローガンを打ち出していますが、その大本は一九七〇年代末からのサッチャリズム、あるいは日本だと八〇年代ごろから始まった行政改革に起因する自己責任論と緊縮の図式で、その影響はあらゆる領域に及んでいます。

たとえば医療の世界では、高齢化に伴い増大している医療費や社会保障費を抑制する必要がある、病床の稼働率を上げるべきだと言われつづけています。それは経営上正しい判断かもしれませんが、今回のコロナ禍のようなことが起こると、余剰の病床がないので患者を受け入れることができなくなってしまいます。だからぼくは『コロナ危機の社会学』で、「新しい冗長性」という言葉を使いながら、合理化のための指標と拮抗する、冗長性変数の採用などで冗長性を確保する方法を探っていくべきだと書きました。そうしないと「経営状況を変えなければ病床も確保できない」という鶏卵的な議論に陥ってしまうからです。緊縮に対して反緊縮を唱えるだけでは、既存の図式に落とし込まれ、一定の層以外に話が届かなくなってしまう。新しい概念と価値観を打ち出すことは野党にとっても重要だと思います。でも、その気配がまったく感じられません。

辻田　ではつぎの自民党政権についてはどうでしょう。この対談の収録時点で、安倍首相の後継は菅官房長官が有力です［★25］。第二次安倍政権下のメディア対応を振り返ると、安倍首相はもちろん、菅官房長官も仲のいいメディアとだけ付き合い、ほかは遮断してきたように思います。

西田　基本的には安倍政権の延長線上でやっていくのでしょう。メディアへの対応や情報戦略はさらに洗練されていくのではないでしょうか。さらに言えば、政策についても安倍政権を踏襲すると予想しています。国外では、安倍政権の経済路線が悪くないものだったと評価されている節がありますし、実際に株価も上昇しています。根本的に路線を変えることはできないでしょう。理想を言えば、自民党には「横綱相撲」を期待します。きちんと政治を行なっているのだから、こそこそしないでメディアに対しても堂々と政治理念と政策を訴えるべきです。

辻田　安倍政権時代のメディア戦略には、メディア受けする安倍首相のかげで菅官房長官が冷静な対応をするという、二枚看板があったと思います。今後菅首相が誕生すると、逆に官房長官にメディア受けをするひとを置く可能性もあると思います。あるいは菅官房長官自身が「令和おじさん」のイメージを打ち出すなど、とっつきやすさを演出していくのかもしれません。

西田　安倍首相の辞任会見が好評だったので、政治家の人間味が再評価され

★25　その後二〇二〇年九月一四日に開催された自民党総裁選挙で、石破茂、岸田文雄を破り、菅が総裁に選出された。二日後の九月一六日に衆参両議院で内閣総理大臣指名選挙が行われ、同日に第九九代内閣総理大臣に就任した。

る可能性は高いでしょう。完全無欠なものは人間味がないので、隙があったほうがいいという雰囲気は、実際に人々に広がっていると思います。自民党の学習速度を見ると、少なくとも、人間味を演出するためにあえて隙をつくる戦略は取られると思います。突如メディアに取り上げられた菅官房長官の「パンケーキ好き」もその一環でしょう[★26]。

辻田　たしかにパンケーキは絶対に戦略的に打ち出したと思います（笑）。

西田　いずれにせよ、政治家がある種の隙や人間味を見せたからといって、それが本気だとは思わないほうがいい。そのように情報発信がたくみでイメージづくりがうまい政治家は、それはそれで危なっかしい。もうひとつおもしろいのは、最近、伝統的な政治部的政局観があたらなくなっていることです。安倍首相辞任に際して、ぼくも各社からコメント取りのために連絡を受けていました。しかし前日まで、各社政治部の相当上の立場にあるひとたちでさえ、概ね「辞任はない」と見ていました。焦り始めたのは、当日午前になってからです。ということは、テレビや新聞の政局報道は相当程度アヤシくなっている。最も政権の身近にいる政治部記者たちでさえ、常識ではいまの日本政治の行方が測れなくなっているというわけです。

辻田　なるほど。わたしは、既存のイメージ戦略でどこまで行けるかは疑問

★26　菅は二〇一九年七月にインスタグラムで、河井案里との会食でパンケーキを食べている投稿を行うなど、甘い物好きのイメージを打ち出していた。二〇二〇年の総裁選に前後し、この投稿が「かわいい」と各種メディアに取り上げられ、「パンケーキおじさん」という愛称も登場。野党支持者は菅行きつけのホテルニューオータニのパンケーキが三〇〇〇円であることを批判した。首相就任後には菅が原宿のパンケーキ店で各社の記者たちと懇親会を行なったほか、地元である秋田の道の駅が菅のイラストを刻印したパンケーキを販売するなど、菅首相＝パンケーキというイメージは広く流布した。

に思うところもあります。安倍首相が良くも悪くも「美しい国」のような抽象的なビジョンを持っていたのに対して、菅官房長官は実務家としての自信からマイクロマネージメントに力を注ぎ、結果的に周囲からの反発を買って短期政権に終わる可能性があります。菅官房長官はこれまでの路線を継承するということでしたが、コロナ禍で既存のイメージ戦略に限界があることが明らかになったのはたしかです。これまでの敵と味方を分けるメディア戦略は、抜本的に変更を迫られる可能性も十分ありえるはずです。

西田　どんな政権がきても、日本の政治の情報発信を含む透明性の改善と、国民の政治認識や理解改善を通じた「政治理性」を培うような対話と向き合い方が課題であることにかわりはありません。野党もしっかり政策を固めて、発信力を高めてほしいですね。

とくに「改革路線」と「生活重視」がクロスする政治的位置が空いていま す。そうした政党が出てきて、政治に緊張感が生まれることを期待していま す。強制力が乏しく「自粛」と「要請」中心の日本の感染症対策は、政治に対する信頼が不可欠です。安倍政権末期から新政権の初動でそのことがあらためて浮き彫りになりました。コロナ禍の出口はなかなか見えてきませんが、政府与党はそれらを急ぎ改善すべきです。

辻田　最後にあらためて確認しておきましょう。なぜわれわれはプロパガンダの歴史や事例について知らなければならないか。それは、今後出てくるであろう、高度に洗練された種々のプロパガンダに騙されにくくするためでした。ただ、これまでの議論を踏まえると、それに「プロパガンダで洗脳される」と単純に煽ってくるひとたちから距離をとるためという点も付け加えていいかもしれません。

ようするに、プロパガンダについて知るということは、政治と情報が複雑に絡まり合うこの時代にあって、極端に流れず、感情に踊らされず、バランスよく生きていくための訓練にもなるということなのです。読者のみなさんにはぜひ、ネットなどで問題になっている作品にたいして「これはプロパガンダだ！」とレッテルを貼って済ますのではなく、「これはどうか」「あれはどうか」と考えてみる習慣をもっていただきたいと思います。そしておそらくそのような構えこそが、プロパガンダにたいするもっとも有効なワクチンとなるのではないでしょうか。

あとがき

本書はコロナ禍と（同時に、コロナ禍による）首相の交代が起きた二〇二〇年までに行われた五回の対談を加筆修正したものである。各対談はそのたびごとの時事を扱ったものでありながら、いま読み返してみると、意外なまでに我々の論調はそれぞれ一貫しているように思えてならないが、どうだろうか。

結局のところその理由は、コロナ禍のような有事下においても、我々が目にしている現代政治の情報発信や広報、そしてその決定過程は、概ね平時の延長線上にあるからではないか。そうだからこそ、コロナ禍における社会と政治の振る舞いや同調圧力に不安を感じるとき、いまいちど一連の対話を振り返ってみることにも意味があると考えている。筆者自身にとってもそうだ。

本書の修正が終わり、改めて送られてきた原稿と、筆が速い辻田さんのまえがきを見て、驚くとともに膝を打つような感覚に襲われた。筆者（西田）が以下で取り上げるのと同じ論点を取り上げていたからだ（この導入部分は、筆が遅く、進行が遅れがちな筆者が後出し的に付け加えている)。しかも、お互いに異論を持ちつつも、そのことを肯定的に捉えていることまで符合している。

こうした往復書簡的関係を同世代の論客と取り結ぶことは、いまではなかなかに難しく、筆者はすでに過去の出来事と思っていただけに、実に幸せなことである。本書のまえがきに照らせば、辻田さんは「専門を持った評論家」で、おそらく筆者は「評論も行う専門家」だが、最近は「専門家は専門について(のみ)語るべき。それ以外は市井の人と同じ」という風潮が強過ぎるように思う。

そのことに対する違和感も、筆者たちが共有するところだ。当然、専門家以外の言説には、明らかにおかしなものやトンデモも含まれるので、それらを各自の受け手が慎重に除外する必要はある。ある著者が常に正しいことをいうとも限らないし、「細かい議論はあやしいが、発想は面白い」ということもありえる。多作な著者ほどそうだ。例えば筆者は梅棹忠夫が書いたものが好きで、いろいろ読んできたが、細部にはいろいろと気になるところがあるものの、大胆な大局観や発想はめっぽう面白い。そうした在り方を許容できるほうが、知的にも豊かといえよう。

もう少し「専門なるもの」について付記すると、専門家の専門性も何か一点で定まるものではないだろう。「最も得意な分野や対象」を中心に、山脈のように専門性は形成されていると感じる。例えば、論文を書いたことはないが長年教育で触れている分野や、業務上携わるような領域、テーマもあるからだ。具体的にいえば、筆者は一〇年近く常勤教員として大学で仕事をしている。大学行政について論文を書いたことはないが、大学の外の人と比べると、大学教育に関して、データについても法令についても、あるいは最近の教育現場の肌感覚も知っているといってよいはずだ。世論と専門家の近視眼的利害関係は奇妙に合致するが、対話と創造はむしろ遠のくだろう。

こんなことは少々考えてみれば当たり前なのだが、近年はこういったマージナルな領域を否定、拒絶する風潮が強くなっているように感じる。実は専門家にとっても、本丸中の本丸以外には言及しないほうが、業界の外から責任を追及されたりすることも少なくなるから、ある意味、ラクなのである。

専門を越えて議論をする、発言することは、短期的には負担が増えるし、専門内での評価のようなわかりやすい実りは少ない。しかし長い目で捉えるなら、きっとそのほうが社会にとっても、また専門家自身にとっても有益なはずだ。個人にとっては自身の役割や仕事の概要を知ってもらう機会になり、他の専門の輪郭をうかがい知ることが容易になる。だれもがそれをできるのが、豊かな社会といえるはずだ。辻田さんとの対話をゲンロンで行ってきたことにも、そういう意味があると筆者は確信している。本文でも述べたが、大学も世論にとても敏感になった。筆者についても勤務先の大学に多くの声が寄せられるだけに、そのことを痛感する。

さて、ここからはその対談の内容について、補足的な議論を展開してみよう。社会のなかで、政治はいったい何によって決まり、また何に突き動かされ、我々に何をさせようとしているのか。これらは、いつの時代においても普遍的な問いだ。これまで筆者は『メディアと自民党』『情報武装する政治』などの仕事を通して、現代では有権者が抱くイメージが重要になっているのではないかということを述べ、またそのような状況を「イメージ政治」と呼んできた。本書の内容はもっぱらその議論と重なっている。

これはもう少し詳しく述べると、有権者側が知識や論理に基づいて理性的に政局を認識することができず、また政治側も好印象の獲得に積極的に取り組むことで、「イメージ」によって政治が駆動する状態のことである［図1］。

社会の規範や実態の変化、新しいサービスの登場や既存メディアの凋落などメディア環境と

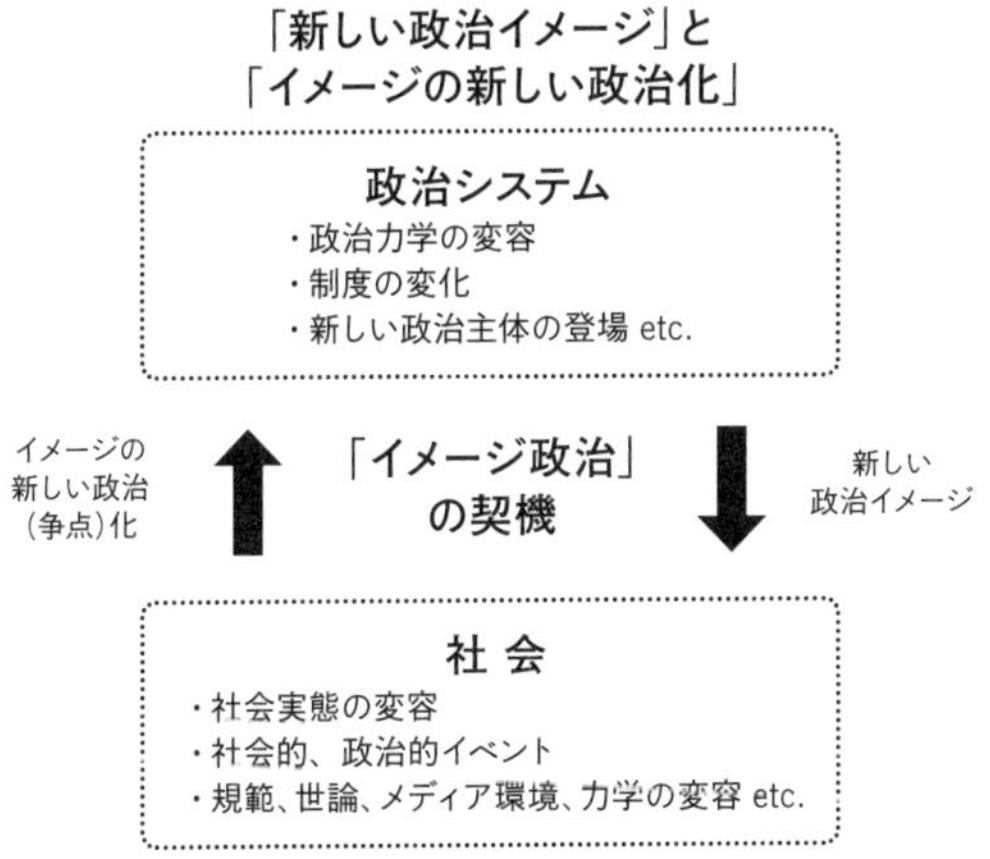

図1　イメージ政治の模式図

力学の変容、あるいは社会的、政治的なイベントのなかで、ときに偶発性を含みつつ更新された政治イメージは、新たなイシューとして政治システム（さしあたり「政治の世界」と考えてもらってもよい）に持ち込まれていく。

政治システムの側でも、選挙や選挙運動を規定する公職選挙法の改正など制度の変更が行われ、また維新やN国、れいわなど新しい政治主体が挑戦者として登場するといった変化が生じている。その過程で有権者に届く新しい広報の方法や戦略が常に模索されていく。こうして有権者に、新しい政治イメージが提供される。

本文中でも述べたように、最近のインターネット、SNS上のコミュニケーションにおけるテキスト離れ（「非テキスト化」）の進行、現実政治と歴史に基づかない主権者教育の導入、取材網と人材育成をはじめとするノウハウを独占してきた新聞のメディアとしての弱体化、それと並行する情報収集手段としてのネットやSNSの存在感の向上などは、総じてイメージ政治を後押ししている。

では本書で扱った期間に、イメージ政治はどのように展開したのか。前提として筆者は、七年八ヶ月の長期に及んだ安倍政権中において、政治に関して二つの分断が進行したと考えている。一つは、投票に行く層と行かない層の分断である。もちろん選挙だけが政治参加の機会ではないが、代表的かつ象徴的な機会であることは疑いえないだろう。

自民党は二〇一二年の総選挙で政権を当時の民主党から奪還し、以後、安倍政権中に五度の国政選挙が行われた。一般に安倍政権はそれらに大勝し続けたということになっている。実際、獲得議席数と得票数ではそうであろう。

だが投票率を見てみると、衆院選は二〇一二年五九％、二〇一四年五三％、二〇一七年五四％、参院選は二〇一三年五三％、二〇一六年五五％、二〇一九年四九％と低い水準で推移している（このデータのとおり、一般に政権交代を伴わない参院選の投票率は衆院選より低いことが知られている）。この間、投票率は六〇％を超えることはなかった。六割以下の有権者しか投票に行かず、四割の有権者は投票所に足を運んでいないのである。

もちろん両者がどの程度固定化しているのかは定かではなく、それはそれで気になるところではあるが、さしあたり「投票に行かない」ことが有権者にとってさほど珍しい選択肢ではないどころか、相当程度当たり前のものになっていることがわかる。

さらに安倍政権下で実施された国政選挙では、二〇代、三〇代の投票率はすべて五〇％を割り込んでいる。実態としてこの世代においては「投票に行く」ほうが珍しい行為になってしまっているといっても過言ではあるまい。むろん日本の投票制度と選挙権は権利的性質が強く、棄権も許容されているとはいえ、イレギュラーであるはずの棄権が常態化してしまう現状には強い違和感が残る。

かつて小選挙区比例代表並立制が衆院選に導入されてしばらくのち、「無党派層は寝ててくれれば良い」という趣旨の発言をして物議を醸した総理経験者がいるが、いまや若年世代を中心とした有権者が「投票に行かない」ことは、政党の選挙戦略や政治活動に織り込まれつつあるとみなすことができるだろう（「織り込まれた棄権」）。もちろん政治家が有権者の代理人であるという代議制のシステムを踏まえると、棄権をあらかじめ想定することは好ましいことではない。しかし同時に、政治家にも生業として日銭を稼ぐ、マックス・ウェーバーが述べた規範的な在り方ではない、文字通りの「職業としての政治家」としての動機づけが働いている。霞を食べては生きていけない以上、現実の政治家や政党は、棄権を所与のものとしてそれぞれの戦略を構想することになるのが実状だ。

もう一つの分断線は、与党支持と野党支持の間に引かれている。安倍政権の間、政権と野党を含めた政治家たちはそれぞれの支持層に支持されることにばかり関心を向けるようになってきた。安倍総理が応援演説中、野党支持者からやじを向けられたことに激昂しながら、「こんな人たち」と呼んだことは記憶に新しいし、彼が国会でも同じ答弁を繰り返していたこと、あるいはいまでは政権を継承して総理になった菅官房長官が、記者会見で特定の記者の質問に正面から答えようとしなかったことなども想起される。

これに並行してそれぞれの支持者の態度も硬化していったものと思われる。本来、筆者も含む大半の有権者は、個々の政策のプロでも、政治のプロでもない。だからこそ理念的には、政治家の発信やマニフェストを目にしたり、ときには議論をすることで、政策に対する理解とそれに応じた政治的態度が変容することもありえるはずだった。そもそも熟議や民主主義の理念はそうした態度変容とその許容を大前提としていたはずだ。

しかし近年、日本政治とそれを取り巻くもっぱらSNS上の政治言説では、こうした態度変容に対する不寛容さが増しているように思われる。あるいは諦念と呼んでみてもよいかもしれない。森友・加計学園問題や日本学術会議をめぐる問題などもそうだ。たとえ実際に不正が確認されたり、政権の行為を好ましくないとする評価が多数を占めたとしても、それでも政権と自民党が支持される事態を我々は繰り返し目にしてきた。態度変容と「論破」を混同する風潮もある。

こうした日本社会における政治状況は、前述のイメージ政治と密接に結びついているように思われる。政党や政治家が「織り込まれた棄権」者層を前提にすると、選挙においてこの層が投票を行うと予想外の帰結をもたらすことがあるため、彼らに積極的な投票を促しはしないだろう。また政治的信念や具体的なデータに基づく政策論争も、政治家にとっては、日本政治の実状と照らすと本当は好ましくないのだ。

行動経済学の知見が示すように、我々は「損失」に対して過剰に反応することが知られている。経済面でも人口面でも明確にピークを過ぎ、衰退の途を歩み始めている日本の現状は、「損失」に満ちている。税制の変更をはじめ、これらの現状と将来を示すデータに基づいた政策は、軒並み多くの生活者の負担増になるものばかりだ。それらに目を向ければ当然、社会的な「損失」に対する有権者のネガティブな反応を引き起こすことになる。したがって（野党もとくにデータに基づくコミュニケーションを行っているとは思えないが）政府与党のほうがデータに基づくコミュニケーションを好まないことには理があるように思えるのだ。

彼らにとって好ましいのは「損失」を示すデータに有権者の目がいかず、「漠然とした好印象と知名度」が広がっている状態であろう。それは例えば、憲法についてもはっきりと改正か護憲か述べるのではなく、なんとなく「やっている感」を醸し出し、そのように受け止められることである。実際、自民党広報のTwitterアカウントはそうした発信を行っている［図2］。

図2　憲法改正を呼びかける自民党公式アカウント
URL=https://twitter.com/jimin_koho/status/1214473085304229889

政治的価値観を提示するわけでも、変更点を述べるわけでもなく、明るく、親しみやすいビジュアルのもとで「憲法改正の主役は、あなたです」という具体性に乏しいメッセージを打ち出している。しかしその乏しさは（社会にとってはさておき）彼らにとって合理性があることなのではないか。いいかえれば、彼らは意図的に内容のない「イメージ」だけを打ち出しているのではないか。そしてこの空疎なイメージと政治の関係は、「シャープパワー」などと呼ばれる政治的主体による意図的かつ積極的な介入が問題視される諸外国のそれとはまた様相の異なる独自の問題なのではないだろうか。

もちろん繰り返し述べているように、これは社会にとって好ましいことではあるまい。しかし、職業政治家と政党はそのように振る舞っている。このことが明らかにされるべきだという問題意識が筆者にはある。例えばまさに現在のコロナ禍において、憲法にも法律にも強制力を持つ緊急事態法制が乏しく、新型インフルエンザ特別措置法（と感染症、検疫法等）に基づく「自粛」と「要請」に頼らざるをえない日本型の感染症対策は、国民と社会の（少なくとも一時的な）信頼関係を必要とする。だが前述の二つの分断は両者の信頼関係構築を困難なものにしている。それどころか政府発表は悉く信頼できないという人も、非与党支持層中心に少なくないのではないか。信頼や不安は目に見えないがゆえに、蓄積がものをいう。危機において一朝一夕に解決できるものでもないのだ。この分断が強固なものであることが、安倍政権で露呈した。

他方で、こうした見立ては甚だ評判が悪い。「悪人がいるから」「陰謀があるから」「自民党が日本を支配しようとしているから！」というわかりやすい言説が、とくにオンラインでいかに根強いかということを、筆者は自身も炎上に巻き込まれながら度々思い知らされてきた。

イメージ政治のもとで織り込まれた棄権や諦念とどのように対峙していくかという問題は、今後の日本社会にとって重要だと考えている。衰退と縮小が既定路線となるなかで、コロナ禍という全世界的な危機に襲われているのだから尚更だ。立法をはじめ政治にしか変えられない事項があるにもかかわらず、多くの人が持っている「政治は自分たちとは関係のないものなのだ」という思い込みは、損得勘定の観点でも明らかな誤解だからだ。とはいえ、具体的な対応策は未だ明確ではない。本書の内容が読者にとって、考えるヒントになれば幸いだ。

さはさりとて、こうしたイメージと政治をめぐる問題を論じるにあたって、戦前戦中の日本社会や音楽、軍事に関する豊富な知識を持ちながら、現在の問題についても硬軟織り交ぜた論陣を張ってきた辻田さんは、同世代の論客のなかでも稀有なパートナーだった。筆者はさほどそれらに詳しいわけではないので、辻田さんに教わることは多かったし、対談はいつも楽しいものであった。

辻田さんは優しい論客だ。やや表現がおかしいだろうか。キレが悪いといっているわけではまったくない。既知のように、むしろ逆だ。ただとくに最近の保守論客は声高に、何かを主張したり、誰かを糾弾したりしがちだ。いや保守論客に限らず、論客や論壇全体がそうなりつつあるようにも思える。辻田さんはいつもそうした動きから一歩引いているように見える。辻田さんはいわゆる「保守論客」ではない。しかし包容力と寛容性という意味で、古典的な保守の態度を持った珍しい貴重な論者だ。本書を上梓したのち、また辻田さんと議論できる機会を楽しみにしている。

ところで賢明な読者諸兄姉は、本書が『新プロパガンダ論』をタイトルにしながら、筆者がほとんど「プロパガンダ」に言及していないことに気づいたかもしれない。少なくとも対談の場では一度、「プロパガンダ」という語を使うべきか否かが話題になったことがあると記憶している。筆者は手垢のついた認識や立場、蔓延する「誤解」から離れるという実践的含意も込めて、日本語における「プロパガンダ」という表現の使われ方や文脈を念頭におくと、現代の政治状況についてはいったん別の語彙で論じるべきではないかと主張し、一方辻田さんは問題を連続的に捉えるために「プロパガンダ」という語を用いるべきだと述べている。辻田さんもまえがきで指摘するように、この対立は実はコインの裏表のような問題でもあるのだが、皆さんはどう考えるだろうか。

本書にはこのように残された論点もある。また政治の状況も刻々と変化している。安倍政権を引き継いでいっそう上手く振る舞うかに思われた菅政権は、日本学術会議をめぐる問題などでいきなり苦境に追い込まれているようである。コロナ禍も第三波の様相を見せつつあり、Go To キャンペーンの対応のちぐはぐさなど含めて混乱している。東京五輪の開催可否についても、いつまでも曖昧なままにはしておけないはずだ。本書が刊行される頃には、また大きな政治的な動きが起きているかもしれない。そして既定路線に沿って、新しいサービスや技術の政治的利用もまたますます深化していくことだろう。

その意味で本書が提起した情報戦略をめぐる問題は、いまなお進行しているといえるはずだ。こうした状況を辻田さんならいったいどのように分析するだろうか。楽しみに思いつつ、ここまでお付き合いいただいた辻田さんと、また対談の機会を提供してくれたゲンロンの皆さん、なかでも遅れがちな本書の進行を丁寧かつ引き締めながら進めていただいた担当編集の横山宏介さんに感謝しながら、いったん筆を置くことにしたい。

二〇二〇年一一月三〇日、今季一番の寒波を早朝の大岡山の研究室で感じながら

西田亮介

構成＝瀬下翔太＋編集部

各章扉写真出典
第１章　１９４３年の陸軍記念日、演奏する陸軍戸山学校軍楽隊　写真提供＝朝日新聞社
第２章　自民党本部に掲げられた天野喜孝によるイラスト　写真提供＝共同通信社
第３章　即位礼正殿の儀、安倍首相の万歳　写真提供＝朝日新聞社
第４章　安倍首相の緊急事態宣言発令の意向を報じる大型ビジョン　写真提供＝共同通信社
第５章　東京・銀座で配られた安倍首相の辞意を伝える号外　写真提供＝共同通信社

付録　国威発揚年表　2018－2020

辻田は『ゲンロン』で連載するコラム「国威発揚の回顧と展望」に、連載のあいだに起きた政治的「事案」をまとめた「国威発揚年表」を併載している。ここに収録するのは、『ゲンロン10』『11』掲載のものに加筆して作成された、二〇一八年から二〇二〇年の年表である。本書の対談中で言及されている項目（注を含む）については●で示した。（編集部）

年表作成＝辻田真佐憲

2018年

2月　○国際政治学者の三浦瑠麗、テレビ番組「ワイドナショー」でスリーパーセルに言及。
○正論大賞に新保祐司、同新風賞に三浦瑠麗と文芸評論家の小川榮太郎が選出される。新保は「海ゆかば」「海道東征」の再評価で有名。
○南京で旧日本軍のコスプレをした中国人が拘束。同国で「精神日本人（精日）」が問題に。
●日本青年会議所（JC）、運営するツイッターのアカウント「宇予くん」で謝罪。「反日洗脳偏向報道機関のNHK」「しんぶん赤旗は読むと脳が壊れる」などのツイートが問題視されていた。

3月　○文科省、元事務次官の前川喜平が名古屋市立の中学校で講演を行ったことについて、同市教育委員会に執拗な問い合わせを行う。

4月　●ゆず、「ガイコクジンノトモダチ」発表。歌詞に「国歌」「国旗」「靖国の桜」などが登場。

6月　○RADWIMPS、「HINOMARU」発表。歌詞に「御国の御霊」「日出づる国」などが登場。前々月のゆずの曲とともに「愛国ソング」と話題に。

7月　●杉田水脈衆議院議員、『新潮45』8月号に寄稿。同性愛カップルなど念頭に「『生産性』がない」。
○東京オリンピック・パラリンピック（以下東京五輪）開幕まで2年。猛暑対策として、打ち水、よしず、浴衣などが挙がる。

9月　●『新潮45』、10月号で休刊。小川榮太郎論文が原因か。

10月　○日本の保守系団体「『慰安婦の真実』国民運動」の幹部、台湾・台南市の慰安婦像に蹴るポーズ。同団体は後日謝罪。

○柴山昌彦文科相、「教育勅語」について「普遍性を持っている部分が見て取れる」などと発言。

○新国立競技場の建設現場で、オリジナルソング「未来《あした》の風」が制作される。

○韓国・済州島で国際観艦式。海上自衛隊は、韓国より自衛艦旗（旭日旗）の掲揚自粛を求められ不参加。いっぽう、韓国海軍は李舜臣が使ったとされる図案の旗を掲揚。

○政府主催「明治150年記念式典」。

○自民党、サマータイムの構想を断念。

11月　○韓国の男性音楽グループ・BTS（防弾少年団）、原爆Tシャツやナチス帽で炎上。

●百田尚樹『日本国紀』（幻冬舎）刊行。ウィキペディアなどからのコピペが多数あるとの指摘相次ぐ。なお同書刊行を機に、翌年にかけて、呉座勇一、久野潤、井沢元彦、八幡和郎らのあいだで論争が発生する。

○元貴乃花親方、テレビで「相撲って日本語じゃなくヘブライ語」と発言。

12月　○安倍首相、『日本国紀』などを購入し、年末年始に読むとツイート。

2019年

1月　○中国でマルクスを「イケメン」風に描いたアニメ『領風者』や、習近平国家主席の思想を学習するスマホアプリ「学習強国」が相次いで公開される。いずれも中国共産党の機関などが開発・制作に関与。

○安倍首相、施政方針演説で明治天皇の御製を引用。

2月　○自民党職員・田村重信、改憲ソング「憲法よりも大事なもの」をリリース。

○北方領土の日。官製ゆるキャラ「北方領土エリカちゃん」、沈黙を守る。

○政府主催「天皇陛下御在位三十年記念式典」。三浦大知、明仁天皇作詞、美智子皇后作曲の琉歌「歌声の響」を歌う。

3月　○自衛隊滋賀地方協力本部、『ストライクウィッチーズ』とコラボして制作した自衛官募集ポスターを撤去・削除。陸上幕僚監部の指示。
○医師の高須克弥、2015年10月のツイート「南京もアウシュビッツも捏造だと思う」にかんして、アウシュビッツ・ビルケナウ博物館より忠告される。
4月
●日本共産党、ティックトックにアカウントを開設。
○新元号「令和」発表。出典は『万葉集』で初の国書と喧伝される。首相官邸はその様子をインスタライブで配信。
○ゴールデンボンバー、新曲「令和」をユーチューブ上に発表。
○官民共催「奉祝感謝の集い」。松任谷正隆、天皇皇后の御製・御歌に作曲・披露。
○自民党、改憲マンガ制作を決定。
○日本原子力産業協会、次世代層向けサイト「あつまれ！ げんしりょくむら」を開設するも「ふざけすぎ」などと批判され閉鎖。
●安倍首相主催の「桜を見る会」。百田尚樹、ケント・ギルバートなどが招待される。
○安倍首相、吉本新喜劇出演。現職首相で初。
○菅官房長官、ニコニコ超会議に「令和おじさん」として登場。
5月
○令和改元。
●自民党、広報戦略「#自民党2019」始動。安倍首相をイメージした侍のアート広告（画・天野喜孝）などを公開。
○大阪市立の小学校で「愛国の歌姫」が神武天皇の歌などを歌う。
●安倍首相、翌月にかけて芸能人との面会や会食を頻繁にアピール。
○外務省および防衛省、公式サイトに旭日旗にかんする説明を掲載。
○トランプ大統領来日。歓迎ムードが演出される。
●「#自民党2019」、グノシーとコラボして、特別番組「グノシーQ スペシャルウィーク 日本政治王決定戦」を配信。
6月
●「#自民党2019」、ViVi ガールとのコラボを公開。
●自民党、所属議員に冊子「フェイク情報が蝕むニッポン トンデモ野党とメディアの非常識」を配布。醜く描かれた野党党首らしき人物の挿絵つき。

7月

●共産党、ユーチューブに「WE ARE 共産党！」などを公開。

●マンガ家・高橋和希の制作スタジオ、『遊☆戯☆王』のキャラクターに「独裁政権＝未来は暗黒次元《ダークディメンション》！」などと発言させたイラストをインスタグラムに公開。批判を受けて謝罪。

●参議院選挙。N国党とれいわ新選組の躍進が注目される。

○池内紀『ヒトラーの時代』（中公新書）刊行。誤植多数とツイッターで指摘される。

○講談社ビーシー、『はじめてのはたらくくるま』を今後増刷しないと発表。戦車、戦闘機、潜水艦などを全30ページ中6ページにわたり紹介し、市民団体などから指摘を受けていたもの。

8月

●あいちトリエンナーレ2019が開幕するも、3日で企画展「表現の不自由展・その後」が中止に追い込まれる。

○拉致問題対策本部、「こども霞が関見学デー」で拉致場面を再現したVRを公開。

○マンガ家の貞本義行、「キッタネー少女像。天皇の写真を燃やした後、足でふみつけるムービー。かの国のプロパガンダ風習　まるパク！」などとツイート。

○「国旗国歌法」施行20年。

○舩後靖彦参議院議員、障害者への根深い差別意識に「大東亜戦争の日本が弱体化するためにGHQが導入した教育や文化が要因と考えていますが、具体的には掴みきれていません」などとインタビューで答える（のち撤回）。

○『毎日新聞』「仲畑流万能川柳」に「嫌韓川柳」掲載。批判を受け、翌日ウェブより削除。

○武田邦彦、『ゴゴスマ』で「日本男子も韓国女性が入ってきたら暴行せにゃいかん」などと発言。

○香港で「願栄光帰香港」発表。デモ参加者のテーマソングとして拡散する。

9月

○海上自衛隊幹部学校の講師に、保守派の論客が多いとツイッターで話題に（ただしこれは以前からの傾向）。

○『週刊ポスト』で「韓国なんて要らない」特集。

○大韓障害者体育会、東京パラリンピックのメダルデザインに「旭日旗を想起」と指摘。

○柴山昌彦文科相、ツイッターで高校生の政治談議をめぐるツイートなどを頻繁に引用RT。「こうした行為は適切でしょうか？」などとコメント。

○東京五輪の暑さ対策で降雪機が実験的に用いられるも、効果なし。

○ラグビー日本代表選手・姫野和樹、『日本国紀』を読んでいるとインタビューに答える。

○英軍ラグビーチーム、靖国神社を訪問して英国大使より叱責される。
●文化庁、あいトリに補助金不交付の方針。なお補助金は、日本博の関連予算。
○韓国国会、IOC・東京五輪大会組織委員会に旭日旗持ち込み禁止を求める決議。
●新潮社、百田尚樹『夏の騎士』「読書がすんだらヨイショせよ」キャンペーンを2日で中止。

10月
●あいトリ「表現の不自由展・その後」入場制限付きで再開。河村たかし名古屋市長、これに抗議の座り込み。
○ティファニー、ツイッター上の広告を削除。右目を隠すポーズが中国当局批判との指摘を受けて。
●百田尚樹、ツイッターで杉田水脈に「私を挑発しているんやな」。八幡和郎の著作に関連して。
●『しんぶん赤旗』、「桜を見る会」の予算が2019年度比で3倍になっていると報道。
●即位礼正殿の儀。この日、NHKは「即位礼正殿の儀の直前 雨上がり虹かかる」というウェブ記事を配信。一時アクセス1位に。
○石原慎太郎、ラグビーW杯を受けて「民族意識の高揚を見て嬉しかった」とツイート。
○ティックトック、過激派組織「イスラム国」のプロパガンダ動画を削除。
○日本第一党、愛知県の施設で「あいちトリカエナハーレ2019『表現の自由展』」を開催。
○川崎市の映画祭、慰安婦問題の論争を扱った『主戦場』を上映中止に（のち撤回）。
○伊勢市美術展覧会で、慰安婦像の写真を使用した作品が展示不可に。
●在オーストリア日本大使館、ウィーンの展覧会について展示内容を理由に両国友好150周年事業の認定を取り消し。
○大阪市のザ・シンフォニーホールで「海道東征」演奏会。

11月
○祝賀御列の儀。
○「天皇陛下御即位をお祝いする国民祭典」。嵐、奉祝曲を歌う。「万歳四五唱」も話題に。
○フジテレビ、「陛下と雅子さま　知られざる笑顔の物語」放送。雅子皇后初のドラマ化。
○大嘗祭。
●富山県朝日町における竹田恒泰の講演会、「ガソリンをまく」の脅迫電話で中止に。
●桜を見る会、翌年度は中止に。
○尾道市百島でひろしまトリエンナーレ2020 in BINGOのプレイベント。大浦信行などが登壇。

○竹田恒泰、山崎雅弘らを名誉毀損で提訴すると予告。
●安倍政権、憲政史上最長に。
○李栄薫『反日種族主義』（文藝春秋）刊行。
○鳩山由紀夫元首相、沢尻エリカ逮捕を受けて、「国民が関心を示すスキャンダルで政府のスキャンダルを覆い隠すのが目的」などとツイート。
●青山繁晴参議院議員、マンガ家・弘兼憲史を起用した皇位継承マンガの出版計画を発表。
○陸上自衛隊小郡駐屯地第5施設団のアカウント、ジャーナリストの井上和彦を招き、「特幹の歌」を斉唱したとツイート。

12月
○安倍首相、嵐のコンサートを鑑賞。ツイッターやインスタグラムでアピール。
●東大の大澤昇平特任准教授、「中国人は採用しません」「中国人のパフォーマンス低い」などの発言を謝罪。
○山口県、「山口県の総理大臣展」開催。安倍首相の等身大パネルなどを設置。
○エクスコインとエクスチェンジャーズ（両社とも代表は竹田恒泰）、日本発の暗号資産を発行すると発表。
○東京芸術劇場および熊本県立劇場で「海道東征」演奏会。
○安倍首相、「報道写真展2019」で「日本が世界の真ん中で輝いた年になったのではないか」と発言。

2020年

1月
○自民党の改憲ポスター、有名イラストレーターの作風に酷似していると話題に。制作を手掛けた電通は否定。
○麻生太郎副総理、会合で「2000年の長きにわたって一つの民族、一つの王朝が続いている国はここしかない」と発言。
○JOCの「がんばれ！　ニッポン！　全員団結プロジェクト」、ツイッターで「勝手に『全員』に加えるな」などと批判される。
○東大、大澤特任准教授を懲戒解雇するも、そのプレスリリースで「反日勢力」に引用符をつけず、ツイッターなどで批判される。

○安倍首相、施政方針演説で「世界の真ん中で輝く日本、希望にあふれ誇りある日本を創り上げる」などと発言。
○中田敦彦のYouTube大学、間違いが多いとツイッター上で批判。
○領土・主権展示館、虎ノ門にリニューアル・オープン。
○民放キー局5社、東京五輪に向けたキャンペーン「一緒にやろう2020大発表スペシャル」を放送。
●伊吹文明元衆院議長、感染症拡大について会合で「緊急事態の一つの例。憲法改正の大きな実験台と考えた方がいいかもしれない」と発言。

2月

○『週刊少年ジャンプ』連載の『僕のヒーローアカデミア』に「志賀丸太」という医師が登場。731部隊を想起すると批判される。
○東京都、東京湾の水質改善のため砂を投入、アサリの繁殖を促す。東京五輪会場の「トイレ臭」対策のため。
○東京五輪組織委員会、大会モットー「United by Emotion（感動で、私たちは一つになる）」を発表。
○森喜朗・東京五輪組織委員長、「私はマスクをしないで最後まで頑張ろうと思っている」などと発言。
○つくる会の中学歴史教科書、文科省の検定で「一発不合格」。
○令和初の天皇誕生日。
●保守論壇、安倍政権による感染症対策の是非をめぐって意見分かれる。
●JC、ツイッター日本法人とパートナーシップ協定を締結。新アカウント「情報を見極めよう！」を作るも、「津田大介が発狂」などという内容をリツイートして即座に炎上。
●安倍首相、公邸で百田尚樹、有本香と会食。
●安倍首相、全国の小中高校、特別支援学校に臨時休校を要請。決定に当たって、文科省の反対を押し切ったと報道される。

3月

○日本被団協の「原爆展」（国連本部で実施予定）、外務省より内容変更を求められる。
●厚労省などのツイッターアカウント、ワイドショーに個別反論。ただし、その内容が一部不正確だと指摘される。
○政府主催の3・11追悼式、感染症対策で中止。
○広島県、ひろトリの作品について出品の可否を検討する委員会設置の方針。
●伊吹元衆院議長、会合で新型コロナウイルスに関して「後講釈での批判とか不安をあおるような発言は、できるだけバラエティー番組も含めて自粛すべきだ」などと発言。
●日本博オープニング・セレモニー、感染拡大を受け中止。
●安倍首相会見。記者の抗議で質問時間延長。ただし、延長自体が予定されていたとの指摘も。
●映画『新聞記者』、日本アカデミー賞で三冠。
○聖火関係イベント、「自粛要請」の最中にも行われ、大勢の参加者を集める。
○文化庁、一転してあいトリ補助金交付の方針。
●東京五輪、延期が決定。
○N国党、衆議院補選で籠池泰典を擁立（のち撤回）。

4月

○黒岩祐治神奈川県知事、医療従事者を「コロナファイター」と命名し、応援呼びかける（のち撤回）。
●マンガ家・浦沢直樹、布マスク二枚配布の報道を受け、ツイッターにマスク姿の安倍首相のイラストを投稿。賛否両論を集める。
●北海道警、裁判の証拠にヤフコメを提出。前年7月参議院選におけるヤジ排除をめぐってのもの。
○広島県、ひろトリ中止を決定。
●新型コロナウイルスの集団感染を受けて、京都産業大に誹謗中傷や脅迫電話。前後して、感染者への批判・差別が相次ぐ。
●政府、7都府県に緊急事態宣言を発出。
○安倍首相、緊急事態の改憲論議に期待感を示す。
○西村康稔経済再生担当相、休業中のCAに防護服の裁縫支援をしてもらうと発言。
○竹田恒泰、日本は民度が高く、「強制力が無くとも多くの人が方針に従う」とツイート。
●糸井重里、「責めるな。じぶんのことをしろ。」とツイート。
●小池百合子東京都知事、ヒカキンとのコラボ動画を公開。
●警察官が歌舞伎町で外出客に「声掛け」。
●安倍首相、星野源「うちで踊ろう」便乗動画を公開。
●安倍昭恵、3月に「ドクタードルフィン」らと宇佐神宮を参拝していたと報道される。

5月

●政府、全国に緊急事態宣言を発出。
○河野防衛相、迷彩柄のマスクで記者会見に臨む。
○東京都、「コロナ対策 東京かるた」を公開。
○自民党、憲法改正推進本部のページをリニューアル。マンガや動画を多用。
○靖国神社境内の公衆トイレで、武漢市民を「皆殺しにする」などという落書きが見つかる。
○米カリフォルニア州のスーパーで、KKKのフードやハーケンクロイツ柄のマスクを着けた客が目撃される。
●ツイッターで「#検察庁法改正案に抗議します」が拡散。芸能人も参加して、大きな話題に。
○このころ、「自粛警察」という言葉が急速に広がる。東京都豊島区では、同区役所職員が飲食店に「営業するな！火を付けるぞ！」などと脅迫して逮捕される。
○緊急事態宣言、順次解除される。
○ブルーインパルス、医療従事者らに謝意を示すなどとして、東京都心を飛行。河野防衛相、「#みてくれ太郎」で写真の投稿を呼びかける。
○ツイッター社、トランプ大統領のツイートに警告表示。
○高須克弥、大村秀章愛知県知事のリコールを目指す会を設立。発表会見には、百田尚樹、竹田恒泰、有本香、武田邦彦が同席。
○靖国神社の公衆トイレに武漢市民を「皆殺しにする」などと落書きした犯人逮捕。「ネット右翼のやつらに一矢報いたかった」などと供述。

6月

○「Black Lives Matter」運動に関連して、世界各地で彫像や記念碑の見直しが進む。なかには、暴力的に破壊される事例も。
○J2京都サンガのサポーターがナチスを連想させる旗を振ったとして、クラブ側に罰金が科される。
○ジャーナリストの伊藤詩織、はすみとしこらを名誉毀損で訴える。
○NHKの番組ツイッターアカウント、ステロタイプな黒人を描いたアニメ動画を投稿。批判されて謝罪・撤回する。
○元川崎市職員、ヘイトはがきを川崎市の施設に送ったとして逮捕される。
○日本各地で「マスク警察」が横行。

○自民党広報のツイッターアカウント、改憲マンガを発表。引用されたダーウィンの言説が間違っていると批判される。
○韓国政府、「明治日本の産業革命遺産」について、ユネスコに世界遺産の登録取り消しを求めると発表。
○日本第一党の桜井誠、虎ノ門ニュースの生放送中に抗議に現れ、その様子が中継される。
●自民党の保守派議員、選択的夫婦別姓制度に理解を示した稲田朋美衆議院議員から離反するかたちで「保守団結の会」を結成。

7月
○東京都知事選挙。開票日に、枝野幸男らが不自然な「宇都宮餃子」ツイートを行う。
○ネット論客「Dr.ナイフ」、『ウェブ論座』に寄稿。
○私立の韓国自生植物園に、安倍晋三「土下座」像が設置される。

8月
○駐日ロシア連邦大使館、第二次世界大戦末期における対日参戦の成果を強調する連続ツイート。その無遠慮な内容が話題に。
○アマゾンプライム・ビデオ解約キャンペーンが拡散。
○伊藤詩織、杉田水脈を提訴。
○NHKの企画「ひろしまタイムライン」、「朝鮮人だ!!」などのツイートで物議。
○育鵬社の中学校社会科教科書、各地で不採用相次ぐ。
○大阪万博のロゴマークが決定。
○大阪府の吉村洋文知事、吉本新喜劇に出演。
●安倍首相、辞意表明。なお、ジャーナリストの有本香は、直前『夕刊フジ』に「党内外の『アベガー』が期待した『健康問題での辞任』などあるはずもないと断言する」などと寄稿していた。
○政治学者の白井聡、松任谷由実に「醜態をさらすより、早く死んだほうがいい」などとフェイスブックに書き込んだことについて謝罪。

9月
○百田尚樹、ニコニコ動画のみずからのチャンネルで日本第一党党首の桜井誠と対談。
○12日、ツイッターで「#スガやめろ」がトレンド入り。14日にも「スガはやめろ」がトレンド入り。なお菅首相の就任は16日。
○安倍前首相、靖国神社に参拝。

○東日本大震災・原子力災害伝承館、開館。館内で活動する語り部が「特定の団体」を批判しないように求められていたと報道される。
○デジタル庁準備室発足。平井卓也デジタル改革担当相は前日の会見で、そのスローガンを「GASU(Government As Start Up)」にしたいと表明。「ガースー」は菅首相の愛称。
○山口県庁で「山口県の総理大臣展」はじまる。

10月

○菅首相が日本学術会議から推薦された新会員候補のうち6名の任命を拒否したと報道される。
○Go Toトラベルキャンペーンが本格始動。地域共通クーポンによる補助がはじまり、当初除外されていた東京発着の旅行も対象に含まれるようになった。
○ベルリン・ミッテ区、慰安婦問題を象徴する少女像の設置許可を取り消し（のち撤回）。銅像は前月に設置されたもの。背後に、日本政府の要請。
○自民党、菅首相の就任後初となるポスターを発表。キャッチフレーズは「国民のために働く」。
○嘉悦大学教授の高橋洋一ら6名、内閣官房参与に任命される。
○内閣と自民党による中曽根康弘元首相の合同葬実施。文科省、これに先立って、全国の国立大に弔旗の掲揚や黙祷などを求める。
○安倍前首相、靖国神社を再度参拝。同神社では、秋の例大祭が行われていた。
○菅首相の著書『政治家の覚悟』（文春新書）刊行。公文書管理の重要性を訴える章が削除されていたと報道される。
○作曲家のすぎやまこういち、文化功労者に選出される。
○菅首相、衆議院予算委員会で『鬼滅の刃』を引き合いに「全集中の呼吸で答弁」と述べる。
○高須克弥、愛知県の大村知事のリコールを求める署名運動を中止すると発表。解職の是非を問う住民投票に必要な件数に達せず。

11月

○新型コロナウイルスの新規感染者、最多を更新。第三波と警戒される。同数字の更新は8月7日以来。
○立皇嗣の礼。
○日本赤十字社、天皇皇后とのビデオ会議を「行幸啓（オンライン）」と表現。
○任天堂、「あつまれ　どうぶつの森」の政治利用を控えるよう利用者に求める。

○小池都知事、感染防止対策のキーワードとして「5つの小」を発表。
○安倍前首相、フェイスブックで慰安婦問題に関する記事をシェアし、「植村記者と朝日新聞の捏造が事実として確定したという事ですね」とコメント（12月に削除）。
○三島由紀夫事件から50年。
○マンガ家・日丸屋秀和の新連載『総理倶楽部』、ツイッターでプロパガンダと批判される。ただし、同連載はまだ始まっていなかった。

12月
○ナイキのCM、日本における在日コリアンなどへの差別の存在を示唆。「反日的」と批判される。
○秋篠宮、誕生日会見で眞子内親王の結婚を認めると発言。
○月初に行われたアメリカ大統領選挙の結果をめぐって、日本の保守論壇が「バイデンで決まり」派と「バイデンは不正している」派に分裂。訴訟も示唆される事態に。
○政府、東京五輪で外国人の大規模受け入れ方針。
○菅首相、記者会見。外遊先でのものを除けば、就任以来、2ヶ月半ぶり。これまで「パンケーキ懇談会」「グループインタビュー」などが問題となってきた。
○菅首相、ニコニコ動画の番組で「ガースーです」と自己紹介。
○DHCの吉田嘉明会長、自社サイトで、サントリーのCMタレントにコリアン系が多いとして同社を「チョントリー」と揶揄。11月付の記事だが、12月になって発見され炎上した。

（2020年12月16日時点）

本書は２０１８年から２０２０年にかけてゲンロンカフェで行われた公開対談シリーズ「メディア戦略から政治を読む」を編集・改稿したものに、書き下ろしのまえがきとあとがき、『ゲンロン10』『11』に収録の年表「おもな国威発揚事案」をもとにした付録を加えたものです。各章の収録日とイベントタイトルは以下のとおりです。

第１章　２０１８年４月11日「なぜ自民党だけがうまくいくのか？――古今のメディア戦略から政治を読む：西田亮介『情報武装する政治』刊行記念イベント」

第２章　２０１９年７月３日「令和における政治広報の行方――メディア戦略から政治を読む＃2」

第３章　２０１９年10月28日「【ゲンロン10刊行記念】国威発揚文化の現在地――メディア戦略から政治を読む ＃3」

第４章　２０２０年４月27日「コロナ禍は社会をどう変えたのか？ 緊急事態宣言下に考える情報発信――メディア戦略から政治を読む ＃4」

第５章　２０２０年９月３日「安倍政権の過去と現在、日本のこれから――メディア戦略から政治を読む ＃5」

これらのイベントの動画は、以下のＱＲコードおよびＵＲＬから購入・視聴できます。

第１回から第３回
URL= https://vimeo.com/ondemand/propaganda1

第４回・第５回
URL= https://vimeo.com/ondemand/propaganda2

ゲンロン叢書｜008

新《しん》プロパガンダ論《ろん》

発行日　二〇二一年一月二五日　第一刷発行

著者　辻田真佐憲《つじたまさのり》　西田亮介《にしだりょうすけ》

発行者　上田洋子

発行所　株式会社ゲンロン

一四一－〇〇三一　東京都品川区西五反田一－一六－六　イルモンドビル二階
電話：〇三－六四一七－九二三〇　ＦＡＸ：〇三－六四一七－九二三一
info@genron.co.jp　https://genron.co.jp/

装丁　川名潤

組版　株式会社キャップス

印刷・製本　株式会社シナノパブリッシングプレス

ISBN 978-4-907188-40-5 C0036

小社の刊行物
2021年1月現在

ゲンロン叢書001
新復興論
小松理虔

復興は地域の衰退を加速しただけだった——。震災後、政治的二項対立に引き裂かれた日本で、「課題先進地区・浜通り」から全国に問う、新たな復興のビジョン。第18回大佛次郎論壇賞受賞。　定価2300円＋税

ゲンロン叢書005
新写真論
スマホと顔
大山顕

写真は人間を必要としなくなるのではないか。自撮りからドローン、顔認証から香港のデモまで。あらゆる話題を横断した果てに、工場写真の第一人者がたどり着いた、圧倒的にスリリングな人間＝顔＝写真論！　定価2400円＋税

ゲンロン叢書006
新対話篇
東浩紀

ソクラテスの対話をやりなおす——梅原猛、鈴木忠志、筒井康隆ら、日本の思想と文化を形作った先哲と語り、哲学と芸術の根本に立ち返る本格対談集。文化が政治に従属する時代、人文知の再起動に挑む10章。　定価2400円＋税

ゲンロン叢書007
哲学の誤配
東浩紀

誤配とは自由のことである——著者が韓国の読者に向けて語ったふたつのインタビューと、中国・杭州で行なった最新の講演を収録。2010年代に、SNSは世界をどう変えたのか。日韓並行出版。　定価1800円＋税

ゲンロン
東浩紀 編

ソーシャルメディアに覆われ、言葉の力が数に還元される現代。その時代精神に異を唱え、真に開かれた言説を目指し創刊された批評誌シリーズ。2019年、第2期始動。既刊11冊。　定価2300－2500円＋税